中学受験は やめなさい

高校受験の すすめ

じゅそうけん
受験総合研究所

実業之日本社

はじめに　～じゅそうけんとは～

皆さん初めまして。

私は学歴研究家としてSNSを通じて受験情報を発信している『じゅそうけん（受験総合研究所）』こと伊藤滉一郎と申します。受験・学歴研究の専門家として、小学校受験、中学受験、高校受験、大学受験、海外の受験について全国規模で調査を進めています。早稲田大学在学中より毎日受験情報を発信し続け、X（旧Twitter）のフォロワー数は7万人に到達しました。手前味噌ですが、「受験評論といえばじゅそうけん」といった流れになってきている気がします。

私は一昨年に大手金融機関を退職し、人生をかけて学歴・受験と向き合うことを決心した、界隈が生んだ怪物です。かっこよく言うと、新進気鋭の若手学歴評論家です。

毎日毎日、受験情報を発信し続けている私がここ最近強く感じるのは、**過熱し切った中学受験に嫌気がさし、「あえての高校受験」を選択する層が増えている**ということです。

現在の中学受験の状況に目を向けてみましょう。

4つの椅子を60人で争う中学受験

年々子供が減少しているのにもかかわらず、中学受験人口は毎年増加し続けており、受験者数も過去最高を更新し続けています。中学受験を見据えて塾に通う子供の低年齢化が進み、SAPIX（サピックス）など大手中学受験塾の小学1、2年生のクラスが満員となり募集を停止してしまっている校舎もあるようです。

一昔前には小5から対策すれば間に合うだろうと言われていた中学受験ですが、今では相当適性のある子でなければ小4や小3のうちから入塾しないと難関校への合格は難しいとすら言われています。それほどまでに熾烈《しれつ》な競争が繰り広げられているのです。

御三家や新御三家、早慶付属クラス以上の難関校の椅子は男女合わせておよそ4000脚。入塾した段階では、ほとんどの家庭がこちらのどこかに行けたらなあと

図1　中学受験の競争イメージ

4つしかない椅子を60人で争う過酷な競争

出典：FRaU edu『令和の中学受験2 短期連載（1）　中学受験、第一志望合格は4人に1人…「中高一貫校」志願者が増え続ける理由とは』（矢野耕平・著）

うっすら考えているはずです。中学入試は、この限られた椅子を目指して約5万人（公立中高一貫校も含めると約6万人）が参戦する、最高にエキサイティング（残酷）なゲームとなっております。

実際に中学受験で第一志望に合格できるのは、男子は「4人に1人（25％）」、女子は「3人に1人（33％）」だと言われています。裏を返すと、男子の4人に3人（75％）、女子の3人に2人（67％）が第一志望に入ることができないのです。首都圏の小学生の5人に1人がこの「過半数が負けるゲーム」に参戦し、毎年激戦を繰り広げています（図1）。

中学受験ではなく高校受験を選ぶ理由

こうした異様な状況の中で、**小学校のうちから高校受験でトップ公立高校や早慶付属校を見据えて勉強を進めていくという勢力が近年台頭しています。**

私自身、中学受験はせず高校受験で私立一貫校に入学した人間であり、あえて高校受験を選んでよかったと思える点がいくつもありますが、主なものは次の3点です。

1．競合が弱い
2．学費が安い
3．数学の勉強が大学受験に直結する

各章ではさらに詳しく言及していきますが、この3点について先に説明します。

1．競合が弱い

まず、都心の高校受験のメリットに関して言えば、なんといっても競合が弱いという点が挙げられるでしょう。

首都圏においては同世代の勉強が得意な上位2〜3割の小学生が中学受験に参入し、同世代の上位層が中学入学時点でごっそり抜けることになります。

つまり、**熾烈を極める中学受験市場と比較して高校受験市場では競合となる受験生が弱いため高い偏差値がとりやすく、その割に難関校の門戸は広いため入りやすい**といった特徴があります。

実際、中学受験において第一志望残念組（中受界隈ではこういう言い方をします）だった子が、三年後に超難関校に高校受験で入学するといったケースは正直かなり多いです。

例えば早慶の付属校は小学校受験・中学受験・高校受験と入り口が分かれていますが、高校受験の枠が最も大きく、その割にライバルとなるレベルも高くないので高校入学組が最もコスパが良いのです。受験関係者の間では「**早慶は高校から入るのが最**

も簡単だ」というのが共通認識としてあるくらいです。

2．学費が安い

それから学費の面でもかなりお得でしょう。

中学受験組はＳＡＰＩＸや四谷大塚といった大手中学受験塾に（小三あたりから入塾したとして）３００万円程度の課金をしたのち、私立の学費を6年間にわたって払い続ける必要があり、総額はとても大きなものになります（最近は公立中高一貫校という選択肢もありますが、中受参戦者の大半は私立に進学します）。

しかし、公立中学→難関公立高校受験ルートであれば当然ですが学費はかなり安く抑えられます。高校受験のための塾代以外はかからず、とてもお財布に優しいでしょう。

一方で、東京都は24年度から高校の授業料の実質無償化を発表しました（所得制限なし）。これは私立高校も対象で、都内在住の中学受験組には朗報です。

■図2　私立中高一貫校と公立中高の大体の学習費総額の比較

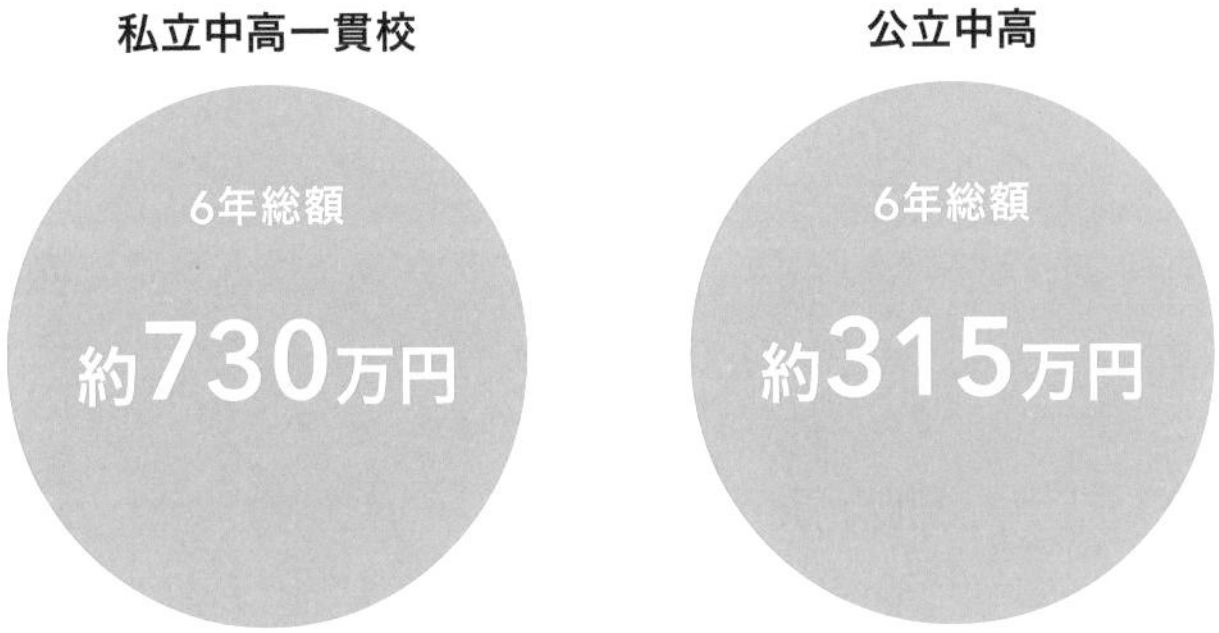

出典：文部省『令和3年度子供の学習費調査』

しかし依然として、金銭面では公立中高と比較し倍以上の費用がかかることに変わりはありません。

令和３年度の文科省発表のデータによると、私立中高一貫校を選択した場合、６年間でかかる学費の総額は大体７３０万円程度になります。一方の公立中高は約３１５万円程度で済みます（図２）。

各都道府県で高校の授業料無償化などの対策がなされてはいるものの、学費の面だけ見れば、公立中高の方にメリットがあるのは間違いありません。

3．数学の勉強が大学受験に直結する

それから、中学受験のウイークポイントとして、数学ではなく「算数」の入試対策を行うため、大学受験で必要となる「数学」の学習に直結しないという点も挙げられます。

中学受験の算数とみっちり向き合うことで思考力がついたり、基礎的な計算力がついたりするといったメリットももちろんあるでしょうが、実は弊害もあるのです。よく言われている話ですが、中学入試の算数では方程式の概念は教えられず、「つるかめ算」といった特殊な解法で答えを導き出します。しかし「つるかめ算」は中学入学以降には使わなくなり、彼らは全く新しい内容を学んでいくことになります。

一方で、高校受験の入試科目である「数学」は大学受験で問われる「数学」と連続しており、これはそのまま3年後の大学受験に生きることになるのです。

実際に小学校のうちから「数学」を先取りで学習させ、高校受験に備えているとこ

ろも多いのです。中学受験算数に縛られない数学先取り学習は、今までは「くもん」しかありませんでしたが、今ではこうしたニーズに対応する塾も増えてきています。

これらはあくまで一部ですが、他にも高校受験を選ぶことで得られるメリットはいくつもあります。

本書ではあえて中学受験をせず高校受験を選ぶメリットについて、私自身の経験も踏まえて、色々な視点からご説明していきたいと思います。

中学受験はやめなさい　目次

第1章　中学受験より高校受験？

第2章 高校受験市場を知る

第3章 中学受験市場を知る

第4章

高校受験戦略

第5章 高校受験ルートで難関大学合格の実例【インタビュー】

第1章

中学受験より高校受験？

中学受験にかかる費用は約300万円？

中学受験が敬遠される理由には様々なものがありますが、その一つが**莫大な費用**です。

小学生から通う塾の費用、中高一貫の私立校に納める学費、大学受験用の予備校費用を含めると、大学合格までにかかる教育費用は非常に大きな額になります。

いくら子供のための教育費は大切といっても、そのために両親が身を粉にして働いた結果、家庭の時間が失われてしまうなど、健全な家庭環境で過ごせなければ本末転倒です。特に東京などの大都市圏では教育費の高騰が続いていますが、風潮に流されず「本当に必要な課金なのか？」と一度立ち止まって考える必要があります。

中学受験対策のための塾費用

そもそも中学受験をして私立の中高一貫校に進んだ場合の費用はどのくらいかかるのでしょうか。

まず中学受験対策ですが、小学3年生の2月〜小学4年生の間に対策を始めるのが一般的です。もちろん小学校低学年から塾に通わせる場合や、少し遅れて小学5〜6年生から対策を始める場合もあると思いますが、ここでは小学4〜6年生の3年間を中学受験対策に充てると考えてみます。

中学受験対策の塾や個別指導は、小学4→5→6年と受験が近づくにつれて授業料が高くなるのが一般的です。

最もメジャーな中学受験対策の集団塾に通った場合、

- 小学4年時　50〜60万円
- 小学5年時　70〜80万円

・小学6年時　90〜120万円
ほどの授業料がかかってきます。

授業料には通常授業と季節講習を含んでいるので、講習をどれだけ取るかによっても異なってきますが、概算はこのくらいです。合計すると小学4〜6年生の間に中学受験対策塾に通わせた場合の費用は、210〜260万円ほどになります。


個別指導の場合は一コマあたりいくらという感じで、受講する授業数に応じて授業料が決まるところが多いです。

週に3〜4回通い、季節講習も取ったとすると、かかってくる費用は大体、
・小学4年時　40〜70万円
・小学5年時　40〜70万円
・小学6年時　90〜120万円
ほどとなります。

総額だと3年間で170万〜260万円ほどです。個別指導は一コマあたりの単価で見ると低額な印象ですが、全て対策しようとしたり、季節講習も取っていったり

するると、結局集団塾と同じくらいの費用がかかります。

受験料やその他費用で合計３００万円程度かかる

あとは確実にかかる費用として、中学受験の受験料があります。大体1校3万円ほどで、5校受けたとすると15万円ほどが必要です。その他にも塾に通うまでの交通費や、自分で購入した参考書代なども含めると、小学4～6年生までの対策と、受験費用で合計３００万円くらいかかるのが相場のようです。

もちろんお子さんが2人、3人と増えれば、かかる費用は2倍、3倍に増えていきます。経済的に余裕のあるご家庭なら問題ないでしょうが、こうした出費が家計を逼《ひっ》迫《ぱく》し、ヒーヒー言いながら一度始めてしまった物語を止められないご家庭も少なくありません。そうした一般家庭の皆さんは、「これは本当に生活を切り詰めてまでする価値のあることなのか？」と胸に手を当てて考えてみてください。

中高一貫校でかかる費用は卒業までに約1000万円

1人あたり300万円ほどの課金をして、無事に希望する中学校に合格できたとして、課金は終わりではありません。

中高一貫校は基本的に私立校であり、通うには学費が必要です。

私立の中高一貫校に入った場合、まず入学金がかかります。おおよそ30万円前後のところが多いです。

続いて授業料ですが、年間で50万円前後かかってきます（高校授業料無償化の対象地域であれば、高校3年間の約150万円がかからなくなります）。さらに私立校の場合、設備費用や学校納入金、寄付金といったその他の費用も大きいです。その他費用も年間で50万円前後のところが多いです。

■ 図3　私立中高一貫校の受験から卒業までの一般的なコストシミュレーション

【入学前】
①小学4年〜6年までの塾の費用
集団塾の場合＝210〜260万円
個別塾の場合＝170〜260万円
②受験料
1校あたり3万円
③雑費（塾への交通費や参考書購入代など）

＋

【入学〜卒業】
①入学金
約30万円
②授業料（年間）
約50万円
③雑費（塾代、交通費など）

合計　約1000万円

高校授業料無償化対象であれば、高校３年間の授業料で合計約150万円ほどが総額から引かれる計算

合計すると入学金を除いても年間で100万円ほどを学校に納める必要があり、中高6年間で600〜700万円の学費が必要になります。
家から離れている場合は交通費もかかりますし、学校の授業についていけずに塾に通う場合や、難関大学を目指して進学塾を利用する場合、さらに追加の費用がかかってきます。

公立の中学・高校に進んだ場合、入学金や授業料、設備費といった学費はもちろんかかりません。入学時に必要な制服代などの入学準備金は10万円ほどで、給食費や修学旅行の積み立てにかかる費用

も年間10～20万円程度です。入学金や制服代を除いても年間１００万円前後かかる私立中高との差は一目瞭然です。

いやいや、公立の中高では進学のために塾に通う必要があり、私立の中高一貫では授業が充実していて塾に通う必要がないのだから、塾代まで含めたら中高一貫の方がコスパいいんじゃないの？という声もあるかもしれません。

しかし中高一貫校は授業スピードが速く内容が高度なため、授業だけではついていけずに塾への課金が必要になったり、大学受験を見据えたら結局大手の進学塾の対策が評判が良く、中高一貫校に通いながらそうした塾へ通ったりする事例が普通です。

文部科学省のデータによると私立中学生も50％は塾に通っています。小学校時代も含めれば、「ここまで課金したのだから失敗できない」というサンクコストの意識もはたらき、中高一貫校に課金しながら塾にも重課金してしまう親御さんがいるのでは、というのが私の見解です。

高校受験にかかる費用は約１００～１５０万円？

高校受験対策も中学受験対策と同様に、受験が近い学年ほど費用が高くなる傾向があります。文部科学省の調査によると塾に課金している子供の一人あたりの学習塾費は、公立中学校の場合、
・中学１年　27万円
・中学２年　29万円
・中学３年　46万円
となっています。

高校受験を見据えた対策はもちろん、中学1・2年次の内申点も高校受験で利用される都道府県では特に、中学1・2年次から学校の定期テスト対策で塾に通わせることも多いようです。

中1で3科目、中2から5科目受講した場合の塾コスト

中学受験塾の年間50～100万円という課金費用を見てしまうと感覚がおかしくなりますが、高校受験対策では最も課金が必要な中学3年次でも50万円ほどの課金で十分です。モデルケースとして難関高校受験対策のために、中1から国数英の3科目を受講し、中2～中3で5科目を受講した場合の塾コストが図4です。

中1の3科目であれば週2日ほど塾へ通うことになり、月額は1万5千円程度、季節講習代や模試費用を含めても、年間で20～25万円程度あれば足ります。中2からは5科目に増やして週3日、中3からは演習も含めて週4日通ったとすると、月額は3～4万円になります。季節講習や模試費用を含めて、年間では40～60万円程度になるでしょう。3年間の合計は100～145万円程度です。

もっともこのケースでは余裕をもって中1から塾に通い、中2から全教科の対策を

■ 図4　中1で3科目、中2から5科目受講した場合の高校受験の塾コスト

学年	科目数	頻度	月額	年額（季節講習など含む）
中学1年	3科目	週2日	約1万5000円	約20〜25万円
中学2年	5科目	週3日	約3〜4万円	約40〜60万円
中学3年	5科目	週4日	約3〜4万円	約40〜60万円

※文部科学省「子供の学習費調査」（www.mext.go.jp/b_menu/toukei/chousa03/gakushuuhi/1268091.htm）を元に作成

していますが、中学レベルであれば独学で定期テストをクリアでき、得意科目は学校の授業のみで対応可能というお子さんも多いと思うので、その場合かかる費用は少なくなります。

私立中学生一人あたりの学習塾費

もう一つ興味深いデータを紹介しておくと、文部科学省の調査による塾に課金している子供一人あたりの学習塾費と通塾率は、私立中学校の場合は次のようになっています。

・中学1年　24万円、51％
・中学2年　34万円、53％
・中学3年　38万円、56％

これに対して公立中学生の通塾率は、中学1年で57％、中学2年で69％、中学3年で84％となっています。公立中学生の通塾率に劣りはするものの、私立中学生でも約半数は塾に通っており、その家庭では年平均24～38万円の塾費用をかけているのです。

私立中学の家庭では中学受験対策にお金をかけ、中学校に学費を納め、さらに半数は塾にも課金しているわけですから、中学受験をせず、中学校の学費も不要で、最低限の塾課金で済む公立中学の家庭との費用面での差は歴然です。

中学受験はオーバーワーク？

中学受験のデメリットは金銭面だけではありません。そもそも小学4～6年生が挑む勉強としては質・量ともに重く、オーバーワークになってしまったり、せっかく身につけた内容でも中学受験限りで使わなくなってしまったりということが起こりえます。

それは本当に小学生がすべき勉強なのか

まず小学生に過酷な受験勉強を課すのが良いことなのかという問題は想像しやすいでしょう。中学受験を検討するような家庭は両親ともにハイスペックで、遺伝的に勉強が得意な可能性が高く、本人もやる気になっているとはいえ、まだまだ10～12歳の子供です。小学校で勉強をし、休憩もそこそこに塾に通い、夜まで勉強するという毎日が不健康であるという指摘はもっともだと思います。

考えることや勉強をすること自体は悪い習慣ではなく、知的好奇心を満たしてくれる素晴らしい活動だと思いますが、**受験となるとどうしても競争の側面が強くなり、本来小学生がすべき「勉強」とはかけ離れていってしまいます。**

また勉強の質についても、小学生に求められる内容としてはハイレベルで高度なものになります。中学受験の科目は国語・算数・理科・社会が基本となりますが、難関校では小学校の範囲を逸脱して、中学生、あるいは高校受験で必要とされる知識を求められることも普通です。そのため大手中学受験塾では、特に理科や社会については、小学4～5年生あたりで中学範囲を一周すると聞きます。

理解度が高く、中学範囲の先取りも難なくできる児童なら問題ないですが、ついていくのがやっとという感じだと、勉強内容的にも負担が大きいでしょう。理科・社会を中心に先取りした内容が「トラウマ」になってしまい、苦手意識を持ってしまうくらいなら中学で余裕をもって理解していった方がよかったとなりかねません。

大学受験で使わない「中学受験算数」の問題

そのようにして幼少期に追い込んだ勉強は、大学受験やその後の人生で役に立つのでしょうか？

よく言われている中学受験の弊害として、算数の問題が数学とあまりリンクしていないクイズのような難問になってしまっており、数学的思考力に良い影響を与えないのではないかという論点があります。

中学受験の算数は一般的な公立小学校で習う簡単な算数とは異なり、中学以降で学んでいく数学とも性質が異なる「中学受験算数」というきわめて独特な分野として確立されています。その中でも代表的な中学受験の算数の分野に「つるかめ算」と言われているものがあります。これは「足が2本のつると、足が4本のかめが合わせて15

匹います。足の数は合わせて42本です。つるとかめはそれぞれ何匹いるでしょう」といった問題です。

中学範囲の連立方程式を学んだあとであれば、つるの数をx、かめの数をyと置き、「x＋y＝15」「2x＋4y＝42」と2つの方程式を用意することで、加減法や代入法を用いてx＝9、y＝6と導き出すことができます。

しかし小学校範囲では中学範囲の方程式を教えないことになっているので、xやyといった文字を使わない解法が採用されています。例えば次のように考えます。

「つるの数を15匹、かめの数を0匹と仮定すると、足の数は15×2＝30本となり、合わせて42本という条件に対して12本足りません。つるとかめを1匹ずつ交換していくと、1匹交換するごとに足は4－2＝2本ずつ増えていくので、12本増やすには12÷2＝6匹交換する必要があります。最初につるは15匹、かめは0匹と仮定していたので、つるは15－6＝9匹、かめは0＋6＝6匹が正解になります」

他にも面積図や表を使って考えていく方法や、方程式のｘやｙの代わりに「△」や「□」といった記号を用いて解く方法など、中学範囲の連立方程式を理解している人にとっては遠回りと思えるような解法が様々あります。これは、文科省の学習指導要領により方程式は中学から習う内容となっているため、小学生を対象とした中学受験では出題できないという事情があります。

頭の体操になったり、順を追って物事を整理していく力は付きそうですが、この解き方をひたすら演習するくらいなら、中学範囲の数学を少しでも先取っていった方が後々の「数学力」に生きてくる気もします（ただ、就活における「ＳＰＩ」などの数的分野で出題される問題が、こちらの「中学受験算数」と酷似しているため、中学受験の経験者はここでは面目躍如することになります。6年後の大学受験数学にはあまり結びつかないかもしれませんが、10年後の就職試験の際にちょっと役立つことはありそうです）。

中学受験組は「英語」で苦労する

中学受験組で大学受験に苦労する人には、英語の勉強をおろそかにしたという共通

点があります。これは中学受験組の最大の弱点と言っても過言ではないでしょう。

中学受験では英語が受験科目にないため、中学受験に専念するためには英語を勉強する余裕がなくなります。幼少期から英会話教室に通っていたような家庭でも、中学受験対策を理由に教室を諦め、中学受験対策塾にシフトするようになると聞きます。語学習得のためには幼少期からその言語に触れておくのがいいのは定説ですが、中学受験に挑むために英語の勉強をストップする家庭も少なくありません（ただ、近年は中学入試でも英語を導入するところも出てきています）。

また高校受験では英語が受験科目になるため、高校受験対策を経験した人はその段階で英語力が強化されますが、中学受験組は高校受験を経験しないため、英語の対策がどうしてもおろそかになりがちです。優秀な中高一貫校に入った人より、そこそこの公立高校に入った人の方が英語力が高いという話もよく聞きますが、たしかに高校受験を突破するために本気で英語を勉強する経験は英語力向上に大きな影響を与えるでしょう。

ちなみに開成高校や筑波大附属駒場高校、日比谷高校といった最難関クラスの学校に合格する高校受験組の英語力は、すでに英検２級〜準１級クラスであり、日東駒専（にっとうこません／日本、東洋、駒沢、専修大学）〜ＧＭＡＲＣＨ（ジーマーチ／学習院、明治、青山学院、立教、中央、法政）の大学受験生並の英語力を身につけているとも言われています。中学卒業時点でこれだけの下地があれば、３年後の大学受験ではかなり有利に働くでしょう。

ということで、**中学受験のために小学生の間に英語を学習せず、その後も受験としての英語学習をおろそかにしてしまった中高一貫の生徒は、大学受験で重要科目となる英語に苦しめられる**ことになります。
実際、御三家や筑駒、灘といった最難関中学の生徒の下位１割は、ＧＭＡＲＣＨや地方国公立も厳しい学力となっており（６年間勉強していないのだから当然ですが）、彼らは「深海魚」と呼ばれています。彼らは12歳時点では全国トップクラスの算数や国語の力があったので、その貯金で数学や国語はそこそこできることも多いのですが、やはり英語はどうにもなりません。中学入試でも触れず、最重要受験科目である英語をサボり倒してきた彼らは、小学校時代に缶蹴りや鬼ごっこに明け暮れていた、公立のちょっとできる生徒たちに大学受験で敗北することになるのです。

大学受験やその後の語学を活かした就職などを見据えた場合、中学受験に充てる労力で英語を先取り学習したり、英会話スクールに通うなどした方が効率が良いのかもしれません。

首都圏は中学受験で優秀層が抜けるので高校受験の方が楽？

首都圏の中学受験割合はおよそ2割であり、これは教育熱の高い上位2割が中学受験（小学校受験で抜ける方もいますね）の段階で抜け、高校受験市場はその上位層が抜けた状態での戦いになるということです。

例えば、早慶の付属は小学校、中学校、高校といくつも入り口がありますが、（男子に関しては）高校からが一番入りやすいとも言われています。早稲田の付属である早稲田大学高等学院、慶應の付属である慶應義塾高校などは、それぞれ高校から４００人近い募集を行います（中学入試の定員は１００〜２００名程度であることが多いです）。

首都圏において、高校入試の母集団のレベルは中学入試のそれと比較してだいぶ下がると言われています（中学受験で優秀層がごっそり抜けるからです）。つまり、あまり市場のレベルが高くないのに、その割に高校募集枠が昔の名残で大きいままになっているというわけです。

また、男子に関しては高校受験では受けられる学校の数も増え（5回ほどチャンスがあります）、受験の機会も広がります。早慶各2校ずつ受験して1つでも受かったらOKと考えたら中学受験よりは易しいと感じるはずです。

さらに、早慶やGMARCHの付属高校は国数英の3科目で受験が可能という特徴があります（中学受験ではどこも国算理社の4科目ですね）。同じ首都圏の高校受験でも、開成や筑波大附属駒場といった最難関国私立進学校、日比谷や西などの最難関公立進学校は入試で5教科（国数英理社）が問われます。そのため、早い段階から科目を絞って学習できる点も、高校受験のメリットでしょう。

高校受験市場の中では最難関クラスで難しいのは間違いないですが、受験業界では「早慶は高校から入るのが一番簡単」という言説がまことしやかに囁かれています。

中学受験は遺伝ゲー？

私は受験に関する様々なデータを収集したり分析したりしていますが、その結果「中学受験は才能ゲーだな」と感じたことがあります。

以前私はＸ（旧Ｔｗｉｔｔｅｒ）で、「学歴家系図集め」という企画を実施しており、約１５００名の方々から自身と知りうる限りの親族の学歴データをいただきました。その企画の一環で、日本最難関中学である灘・筑駒・桜蔭・開成の４校の父親の学歴をまとめてみたことがあります。合計で43名の協力者を得られたのですが、結果は図５の通りでした。

なんと**日本最難関中学４校出身者の父親は、約半数が東京一工医を出ており、旧**

帝、早慶も含めると8割以上を占めていたのです。「中学受験は結局遺伝ゲーじゃん」と言わざるを得ない、残酷な結果でした。

中学受験大手塾では、6年生のクラスになると医者・弁護士・大学教授の子供ばかりになってくると聞きますが、この結果を見ると間違っていない気がします。

一握りの天才以外、中学受験に時間を使わない方が賢明

中学受験は高校受験と違い、内申点の加算がない試験一発型の勝負になります。小学6年生という早い段階での試験ということもあり、コツコツ努力できる学生というよりは、親の遺伝という副産物も含めてもともと勉強することに向いている、「地頭のいい」子供たちの勝負になっている側面があります。

そういった天才型の子供たちに、凡人の子供が挑む場合、過酷な勝負となることは想像しやすいです。親子ともに知的能力が平凡で、かつとりわけ早熟でもないという場合は、高校受験で十分だというのが私の持論です。

早熟な秀才たちに交じって貴重な子供時代を疲弊して過ごすより、子供は子供らし

■ 図5 日本最難関中学（灘・筑駒・桜蔭・開成）の父親の出身大学の調査

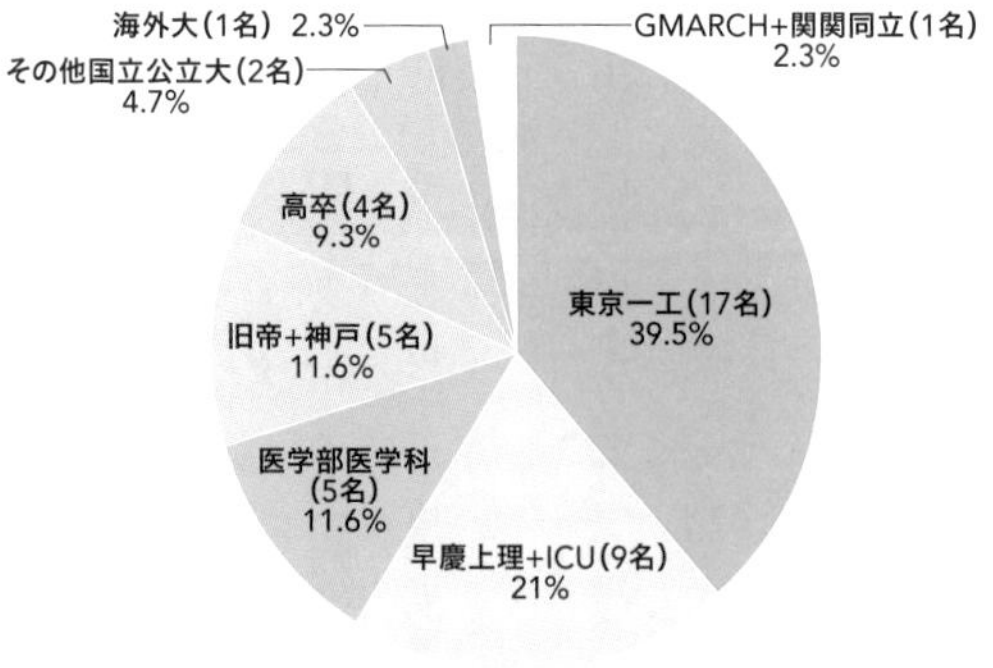

灘・筑駒・桜蔭・開成の中学名門4校に通う生徒43名の父親の出身大学を調査。
上記以外の私大、専門・短大、中卒はそれぞれ0名だった　※著者調べ

く外で遊ぶなど、多様な経験をさせた方が健全でしょう。

また高校受験になると、中学時代の内申点も加味されます。天才でなくてもコツコツ勉強する、学校で友人と協調し真面目に過ごす、といった学校生活を送ってきた人が評価される仕組みになっています。

内申点はある意味、親の遺伝に恵まれなかった「凡人」でも上位高校に進学することができる、救済措置になっていると言えるでしょう。

中学受験失敗例

よくある中学受験組の失敗例として、中学受験で無双するもその後堕落し、大学受験で失敗して、二番手三番手あたりの公立高校に進んだ層にも負けてしまう、といった事例を聞きます。

特に男子に多いようで、開成などの超トップ校ではさすがにそこまで落ちぶれることはないようですが、それ未満の私立中高になると、GMARCHや日東駒専でも滑り止まらずさらにマイナーな大学へ進学してしまうこともあるようです。

中学受験組が堕落してしまう要因としては、「受験燃え尽き」と「英語力不足」の2点が挙げられるでしょう。

「受験燃え尽き」と「英語力不足」

受験燃え尽きとはイメージの通り、小学生時代から詰め込み学習をしてきた弊害で、中学進学以降やる気がなくなってしまったり、反動で遊び呆《ほう》けてしまったりする現象のことです。難関の中学入試を突破しても、その後6年間遊び続けたらさすがに大学受験で結果を残すことは難しいでしょう。

また中学受験組の「英語力不足」もよくある失敗例です。中学受験では英語が課されず、その後中高一貫のため高校入試も経験しないので、英語の試験は大学入試が初めてという人が普通です。

特に英語の配点が高い私立文系大学では、英語が苦手というのは致命傷になります。早慶はもちろん、ＧＭＡＲＣＨでも滑り止まらず、さらにマイナーな大学へ進学することになってしまう中学受験組の話をよく耳にします。

対して高校受験組は、大学受験の3年前に高校受験を経験しているため、中学受験で堕落した組のように6年間遊び呆けてしまうといった事態にはなりません。
そのためある程度レベルの高い公立高校などに進学した場合は、GMARCHでも滑り止まらず、といった事例は少ないようです。高校受験で英語を経験しているのも大きいと思います。

超一流大に進む人から、失敗してしまう人までの振れ幅が大きいのが中学受験組、滑ってもGMARCHくらいで滑り止まる、粒が揃っている印象なのが公立高校受験組、と言えそうです。

中学受験からGMARCHはコスパが悪い

中学受験か高校受験かを考えている親御さんの中には、「最低でも最終学歴はGMARCHくらいになってほしい」と考える方も多いと思います。GMARCHとは言わずと知れた学習院・明治・青学・立教・中央・法政の頭文字を取った大学群で、「高学歴の最低ライン」として知られています。

最終的にGMARCHくらいの学歴を獲得してほしいと考えた場合、中学受験はオーバーワークでコスパが悪いというのが私の考えです。GMARCHは年々推薦の枠が増えていることや、少子化の影響で一般入試の倍率が今後も下がり続けると考えられています。そのため中学受験で苦労して、中高一貫でガチガチに対策しなくても受かるでしょう。

また中学受験でGMARCHの付属校に合格し、「最低でもGMARCH」の権利を押さえておきたいと考える方もいるかもしれませんが、中学受験の段階で大学進学先を決定してしまうのは時期尚早でしょう。中学受験でGMARCHの各付属校に受かる能力があれば、大学受験時にはさらに上位の早慶や東京一工・旧帝へ進学できる可能性も十分あります。

GMARCH付属中に合格できる能力があれば、公立ルートで東大や早慶を狙える

実際、GMARCH付属校の中学受験の偏差値を見ると、東大合格者10人~、早慶合格者100人~といった大学受験実績を誇る進学校と肩を並べていることがわかります。例えば、明大明治男子の日能研偏差値は60で、城北中、本郷中、芝中といった進学校と同じレベル帯ですが、これらの進学校は例年10名程度の東大合格者を輩出し、早慶に至っては200名程度の合格者を出す年度もあります。

進学校では大学受験という荒波を乗り越える必要がありますが、GMARCH附属

校合格者のポテンシャルを考えると、かなりの数の生徒が東大早慶を狙えるはずだということです。

さらにGMARCHに受かりやすいのは、実は私立中高でなく公立高校、というデータもあります。明治大学の付属高校を除いた進学者数ランキングでは、1位神奈川県立川和高校、2位神奈川県立柏陽高校となっており、ともに公立進学校です。

理由としては明治大学などのGMARCH文系入試では、私大英語と呼ばれる英語の攻略が鍵となっており、高校入試で英語を勉強した公立進学校組が（入試で英語を経験していない）中学入試組に引けを取らないから、と考えられます（東大や上位医学部クラスになると中高一貫の方が有利というのは否めませんが）。

少子化と一般選抜以外の入試方式導入（総合型選抜など）によってGMARCHの一般入試難易度が年々下がっていくことも予想され、GMARCHに入るなら公立高校から進学するのが最もコスパの良いルートと考えられます。

高校受験で英語を含めた5教科を極め、なるべく難易度の高い公立高校へ進み、大学受験においては「英国社」の3科目に絞った対策をすることで、GMARCHの合格には十分手が届くと考えられます。

公立高校からＧＭＡＲＣＨに入って大手企業がコスパ最強説

私が常々思っていることで、「公立高校からＧＭＡＲＣＨに受かって大手企業に就職して無難に生きる人生がコスパ最強なんじゃね？」というものがあります。

一瞬だけ就職したＭ銀行での同僚・上司の様子や、大手ＪＴＣ（ジャパニーズ・トラディショナル・カンパニー。日本の伝統的な企業を指す。主にネットスラング）で働く友人たちを見ていて感じることです。

大手ＪＴＣ勤務はオワコンどころか勝ち組

まず大手ＪＴＣで働くことについてですが、私はなんだかんだ言って今の日本ではＪＴＣ勤務が勝ち組であると感じます。

ネットでは「大企業はオワコン！」「時代はフリーランス！」などと叫ばれていますが、大企業勤めは全然オワコンではありません。私のいたM銀行でも、35歳あたりまで働き続ければ誰でも年収1000万円を超えますし、社会的信頼も抜群です。**「大企業はオワコン！」を信じて会社を辞めた人間のうち、一体何%が年収1000万円に到達できるでしょうか。**大手企業から大手企業に転職した人を除き、私のように曖昧なフリーランス・起業家になってしまった人は、そのほとんどが元いたJTCの待遇を超えられないのが現実でしょう。

「普通に」平均より多めの給料をもらい、「普通に」家庭を持って「普通の」幸せを享受したい人にとって、大手企業サラリーマンはこれ以上ない選択肢なのです。

そんな日系大手企業で活躍するのは、GMARCH・関関同立（かんかんどうりつ／関西、関西学院、同志社、立命館）といった「高学歴の最低ライン」の大学を卒業してきた人たちがボリュームゾーンです。

彼ら・彼女らは学問的興味がこれといって高いというわけでもなく、社会的地位や人生の夏休みを求めて大学に進学し、「楽単」と呼ばれるハードルの低い科目を受講し、サークルで遊び呆けて就職活動だけやる気を出します。「勉強だけできるチー牛」が理系の国立大学に進学し、就活がうまくいかずに苦戦しているケースも少なくないことを考えると、なんと華やかでコスパの良い大学生活でしょうか。GMARCH・関関同立生の要領の良さこそが、社会に出てから成功を収める鍵なのかもしれません。

内申点を取れる人は社会で活躍できる可能性が高い

また社会に出て活躍できる人の特徴として、「中高生時代の内申点が高かった」というのも指標になると感じます。

大手JTCでは決められた仕事を全てそつなく、平均点以上にこなす能力が求められますが、これはまさしく中高時代の「内申点」を獲得する営みと同じです。中学校でオール5に近い内申点を獲得した優等生は、そのまま公立進学高校へ進学します。高校では勉強にも取り組みながら、部活や文化祭にも精を出すことでしょう。

受験では東大・早慶といった難関国立・トップ私大には受からずとも、GMARCH・関関同立あたりには手堅く合格します。実はGMARCHの合格者に公立高校出身者が多いのは先にも述べた通りです。

中高時代に鍛えた勉強以外の能力や、課外活動を楽しむ能力を活かし、大学時代も青春を謳歌《おうか》し、そのまま大手企業に内定していくでしょう。社会人以降に求められるのは、勉強だけをガリガリと進めてきた陰キャではなく、テストは要領良く突破し、勉強以外も楽しんできたリア充です。

というわけで私は、「公立高校からＧＭＡＲＣＨに受かって大手企業に就職して無難に生きる人生がコスパ最強なんじゃね？」と考えています。

公立中学の経験は将来活きる

私自身は公立中学出身で、公立中学出身の経験が今に生きていると感じることがあります。

また公立中出身でその後難関大に進まれた方に話を聞くと、「中高一貫校に行っておけばよかった」というような後悔は聞かず、「地元の公立中に行ってよかった」「あの時の経験が今に生きている」と聞くことが多いです。

巷《ちまた》で言われがちな、公立中学校に進むと不幸になるので中学受験をした方がいい、という言説は正しいのでしょうか？

「荒れた公立中学校」はほんの一部でしかない

そもそもなぜ教育熱心な親御さんから公立中学校が敬遠されがちかというと、公立中学校には学力レベルが高くない生徒、不良やヤンチャな生徒が多数いて、学級崩壊していたり、不良度で学校内のヒエラルキーが定まっていたりと、勉強をしたい人には向いていない環境であるというイメージがあるようです。

これは多少は正しい側面もあるのかもしれませんが、多くは週刊誌などのメディアに誇張された表現であると感じます。

というのも、私が通っていた公立中学校で、不良が多すぎて学級崩壊などということはありませんでしたし、公立中出身者に話を聞いても、不良っぽい学生はいてもごく少数か、全くいなかったと聞くからです。

メディアが誇張しがちな「荒れた公立中学校」像は、ごく一部の治安が悪いエリアの、ごく一部の学年を大きく取りあげたりしている結果でしょう。

ただ学級崩壊像こそ誇張とはいえ、公立中学校時代に多様な同級生がいたことは事実だと思います。中学を出てそのまま働く人もいましたし、地元の高校から専門学校を出て地元で就職するような人もいましたし、難関大に受かって首都圏に移住してそのままエリートサラリーマンになった人もいます。

高校以降はある程度の進学校と言われている高校に入ったので、「いい大学を出て、いい企業に入ろう」という画一的な価値観を持った知り合いが多くできましたが、中学時代はそんなことはありませんでした。

公立は社会の縮図

早稲田大学を卒業し大手銀行に入社、その後退職し塾業界で起業という自分の経歴を振り返って思うのは、公立中学校にいた人々こそ「社会の縮図」になっていたなという点です。

どういうことかというと、早稲田を出て大手銀行に入るような人は、みんな学生時代の内申点が高く、そこそこ名の知れた大学に通い、なんとなくサラリーマンになることが当然という価値観で生きているようですが、社会全体で見るとそのような価値観は一つの生き方でしかないということです。

起業をしてみると、雇われが向いておらず事業主になったという人にもたくさん出会いましたし、塾で起業をするとなれば、顧客として「いい大学を出て、いい企業へ」というステレオタイプの価値感を持っている人だけでなく、「勉強が嫌いで、なんとか授業についていっている」人たちのことも当然視野に入れる必要があります。

社会で生きていくにあたって、大学以降に出会った学力的に恵まれた人たちだけでなく、公立中学校時代の様子を体感としてリアルに思い出せるのは、自分の強みであると感じます。


公立中学校出身者に話を聞くと、私のように「仕事をする上で公立中学校時代の経験が生きている」と言う人もいますし、仕事など関係ないプライベートな側面で、中学時代の友人との関係がかけがえのないものになっていると言う人もいます。

例えば私の友人のTさんは、早稲田大学を出た後、大手銀行を突然退職し、地元の中学校が同じで幼なじみでもある、中卒で働いている方とシェアハウスで暮らしています。Ｔさんは中卒で働いている友人の存在もあり、大手銀行で働くことは一つの選択肢でしかないと相対化され、やりたかったフリーランスの仕事に挑戦するなど、柔軟な人生を送れていると言っています。

中高一貫の私立校を出て、難関大学に入って、大手企業で働くのが当然の環境で育ってしまうと、そのような価値観が固定化されてしまい、大手銀行のキャリアを大胆に変更するといったことに抵抗が出てしまうのではないでしょうか。

中高一貫校で画一的な価値観を刷り込まれて迷いなく生きていくのもいいのかもしれませんが、私は公立中学校での経験を通して、世の中には「いい大学を出て、いい企業」だけではない、多様な生き方があるのだと体感として知っている人生の方が豊かなのではないかと感じています。

第2章

高校受験市場を知る

日本はバリバリの学歴社会

中学受験にしろ、高校受験にしろ、成功すれば良い学歴が手に入ります。ここまでで、高校受験のメリットはわかってもらえたと思いますが、そもそも論として、「学歴」とはなんなのでしょうか。

――「学歴」の誕生

一般的に学歴とは個人の学業上の経歴を指すもので、主に小学校、中学校、高校、大学、専門学校、短期大学、高等専門学校、大学院の経歴を示す場合が多いです。最後に卒業した学校歴は「最終学歴」と呼ばれます。

また「学歴」をもとに職業や所得、社会的権威が決まる社会のことを「学歴社会」と呼びます。現代では就職の際、その人の最終学歴が応募の条件になっているなど、学歴によって職業選択のパスポートを得られることは常識ですが、近代以前の社会では身分、家柄、財産、縁故といった要素が大きな割合を占めていたと言われています。

日本においては明治時代以降、近代的な官僚制度が誕生し、官僚たちに学歴や学力試験が要求されたことから、学歴社会の基礎が築かれたというのが定説です。１８７２年には学制が発布され、大学区、中学区、小学区に１校ずつ学校が設置されました。

１８７７年には当時日本で唯一の大学であった東京大学が、20年後の１８９７年には京都大学が設立されました。大学は北海道大学、東北大学、東京大学、名古屋大学、京都大学、大阪大学、九州大学の７校の他に、台湾にあった台北大学、韓国にあった京城大学を合わせても９校しかありませんでした。大正時代に入ると大学令により日本最初の私立大学が認められ、福沢諭吉が設立した慶應義塾や、大隈重信が設立した早稲田が正式に私立大学として発足しました。

小学校・中学校・高校に目を向けてみると、学制が発布された明治時代の当初は「下等小学校」と呼ばれる4年制の学校と、それに続く「高等小学校」と呼ばれる4年制の学校がありました。下等小学校は「尋常小学校」と改称され、1886年には義務教育化しました。1907年には修業年数が6年間に延長され、現在の小学校と同じ年数となっています。

現在の高校(高等学校)にあたるのは5年制の「旧制中学校」であり、特にその後半部分です。大学に進む場合の進路は、小学校が6年、旧制中学校が5年、旧制高等学校が3年、帝国大学が3年だったので、「6・5・3・3」制といえます。

第二次世界大戦後には男女共学化などの改変がなされ、義務教育は小学校+中学校までの9年間に延長され、小学校が6年、中学校が3年、高等学校が3年、大学が4年という、現在の「6・3・3・4」制となっています。それまでの旧制中学校、高等女学校、実業学校などが「高校」（新制高校・高等学校）として一本化された現在の学制は、「複線型」に対して「単線型」と呼ばれることもあります。

そんな背景がある日本の「学歴社会」ですが、私は現在でも、というか現在の方が日本はバリバリの学歴社会であると感じています。特に出身大学は重視される場面が多いと感じます。その理由としては大きく二つあり、一つ目は進学率、就職、所得といった目に見えるデータに表れている点、二つ目は評価、アイデンティティ、エンタメといった数値化しにくい部分にも表れている点です。

進学率や就職、所得に見られる学歴の影響

まず日本が学歴社会である証拠として、こんなデータを挙げてみます。

文部科学省の「学校基本調査」によると、大学進学率は１９９１年には25・５％でしたが、２０２３年には57・７％と、ここ30年で２倍以上に高まっています。国民の

■ 図6　学歴と年収

（単位：万円）

	高卒	高専・短大卒	大卒	大学院卒
男	297.5 （45.8歳、14.8年）	348.3 （43.6歳、14.8年）	392.1 （43.4歳、13.5年）	478.4 （42.3歳、12.4年）
女	222.9 （45.6歳、11.1年）	269.3 （44.3歳、11.9年）	294 （36.6歳、7.9年）	404.3 （40.5歳、8.3歳）

※()の年齢は平均年齢、平均勤続年数

出典：令和4年　厚生労働省「賃金構造基本統計調査」

半数以上が「とりあえず」大学に進学する時代であり、この傾向は今後も続くでしょう。

また厚生労働省の賃金構造基本統計調査をもとに算出したデータによると、学歴・男女別の年収は図6の通りです。**男女ともに大卒・大学院卒の年収が最も高くなっており、学歴と年収には相関がある学歴社会といえるでしょう。**

インフルエンサーの中には、「大学なんて行く必要ない」「今の時代学歴なんてなくても成功できる」などと言っている人もいますが、そう言っている人に限って難関

■ 図7　三菱商事「採用大学」ランキング

順位	大学名	人数	順位	大学名	人数
1	慶應義塾大学	25	5	大阪大学	5
2	東京大学	21	8	名古屋大学	3
3	早稲田大学	20	9	北海道大学	2
4	京都大学	6	9	東北大学	2
5	東京工業大学	5	9	上智大学	2
5	一橋大学	5	9	明治大学	2

出典：ダイヤモンド・オンライン『5大総合商社「採用大学」ランキング2022最新版【全10位・完全版】』

大学を出ていたりします。野球の大谷翔平選手や将棋の藤井聡太竜王・名人など、常軌を逸した才能の持ち主でなければ、無難に（できるだけ難関の）大学に行っておいた方が良いというのが私の持論です。

さらに同じ「大卒」の中でも、就職の際は「学歴フィルター」によって、もっと細かく選別がされています。私が勤めていたM銀行でも、法人営業を担う総合職はほぼ全員がGMARCH以上でした。参考までにダイヤモンド・オンライン調べの、「三菱商事　採用大学ランキング」を載せておきます（図7）。このような「マーチ以上」に設定された暗黙のルールは多くの大企業がとりあえず設けていると考えられます。

相手の印象や自身の価値観に影響を与える学歴

次に数値化しにくい分野でも、日本が学歴社会であると感じる点は多々あります。

最もわかりやすく生活に溶け込んでいるのは、「印象」面でしょう。建前として「学歴が全てではない」「学歴は関係ない」という宣言をする人も、心のどこかで相手を学歴で判断してしまっている側面があると思います。例えば同じ「寡黙な」人がいたとして、その人が高学歴であれば「冷静で思慮深い」という良い印象を抱くでしょうし、反対に低学歴であれば「暗くて陰険」といった悪い印象を抱くかもしれません。

結局、ほとんどの人は自らの物差しで相手の実力を判断することなんかできず、「学歴」「職歴」といったわかりやすいフィルターを通して他人のことをわかった気になっているのが現実なのです。

また他人との交流ではなく、自身の内面や自己決定といった面でも、学歴は重要な役割を果たしていると感じます。例えば幼少期から勉強が得意で、受験でも良い結果を残した人は、なるべく知能を生かすような仕事に就きたいと考えるでしょう。高学歴な人が自発的であるにせよ何らかの事情があるにせよ、高学歴者が少ない仕事に就いた場合、「〇〇大学を出たのに」といったコンプレックスになる場合も多いと思います。X（旧Twitter）では、高学歴なのに大企業でうまくやっていけずフリーターになってしまったり、ニートになってしまったりした人たちが悲痛な叫びを上げています。個人的には別に東大卒だろうとフリーターやニートをやっても全然問題ないと思いますが、これらの出来事が著しく彼らの自己肯定感を下げてしまっているところを見ると、**日本社会で生きるにはどうしても意識せざるを得ない「学歴」の魔力を感じます。**

このように日本社会では今でも学歴が重要な役割を占めており、進学率や所得といった明確なデータに表れています。

また私は以前、仮面浪人・再受験専門の学習塾を経営していたのですが、日々「学歴コンプレックス」を抱えた人々からの相談を受けていました。このような経験からも、目に見えなくてもその人のアイデンティティを形成する重要な要素としての「学歴」を実感しています。

高校受験が重視される背景
〜選抜における出身高校の重要性〜

日本で「学歴」といえば大学の出身校を指すことが多いですが、私はあえて高校に注目しています。その理由としては最終学歴となる大学への進学実績について、高校ごとに明らかな差異があるからです。

名門校と呼ばれる優秀な高校は毎年難関大学への合格者を多数輩出しており、時代により栄枯盛衰はあるものの、その傾向は一目瞭然です。簡単に言うと、名門校は毎年多くの東大合格者を輩出しており、マイナーな高校がある年急に大量の東大合格者を輩出するということはないのです。

名門高校の大学進学実績が良い理由としては、「選抜」と「育成」の2点が挙げられるでしょう。想像の通り名門高校の入試難易度は高く、入学の時点で基礎学力の高い学生が選抜されています。教師陣の質も高く、基礎学力の高い「金の卵」たちをさらに鍛え上げて難関大学に受からせる環境が整っています。よく言われることですが、目標達成のためには自分の周辺に良きライバルがいる方がよく、名門高校の学生たちは互いに切磋琢磨しながら成長していくことでしょう。

企業の人事担当者は出身高校も見ている？

また最終学歴に次ぐ「第二の最終学歴」として高校がある点も、私が高校受験に注目する理由の一つです。

学歴が活きてくる重要な場面として「就活」がありますが、就活においては出身高校が重視されるという現実があります。もちろん最も重視されるのは出身大学で、企業によっては学歴フィルターをかけ、出身大学で就活生を厳選しています。

しかし企業の人事担当者は大学歴だけでなく、高校歴にも注目しています。大学だけを見てしまうと、付属中高で中学受験時に学力のピークが来たものの、その後勉強から離れてしまった怠惰な内部進学の学生や、推薦入学で一芸に秀でていたものの、基礎学力が身についていない学生を採ってしまう恐れがあるのです。

そこで**企業の人事担当者は、大学歴の一つ手前である高校歴を見ることで、その学生が本当に優秀かどうか見極めている**というのです。高校受験では中学時代の内申点も評価の対象となるため、優秀な高校に受かっている学生は中学時代に真面目に生活してきたことが担保されています。公立中・高で活躍してきた学生は、親の経済力にかかわらず、泥臭く努力できる学生という印象もあるでしょう。以上のような理由から、就活においては「どの高校を出ているのか」が、一つの重要な指標になっているといいます。

実際、某総合商社や戦略コンサルティング会社の一部では、最終学歴よりも「出身高校」が選抜における重要ファクターとされているという話を関係者から聞いたことがあります。多様な入り口がある大学入試での実績より、受験学力と先生からの評価がバランスよく反映される高校入試の結果が重視されているのは納得できる話ではないでしょうか。

100万人が参加する高校受験こそが原点にして基本

そんな難関大学への登竜門となり、「第二の最終学歴」にもなっている高校受験ですが、中学受験と比べて軽視されている印象があります。

しかし私は、主流はあくまで高校受験だと思っています。その理由としては、そもそも合格者の枠が圧倒的に多いことが挙げられます。

2023年の中学入試は募集定員4万5430人に対し5万2600人が参戦していますが、これは首都圏の小学6年生の2割ほどです。全国で見ると1割未満です。受験割合だけを見れば年々増加傾向にあるものの、まだまだマイノリティであることはたしかです。

それに対し高校進学では、ほぼ全員が受験を経験します。全国の高校一学年は大体100万人なので、ざっくりと100万人が参戦するイベントです。

近年注目を集める中学受験を高校受験と対等に捉え、「中学受験？ or 高校受験？」という枠組みで比較しがちですが、その受験層や合格層は限定的です。地方に目を移すと、そもそも中学受験できる学校がなく、中学受験という選択肢がないエリアも多いのです。「高校に入るためには（中学受験でなく）高校受験をする」というのが原点にして基本と思ってください。

公立高校が注目される理由

私立高校というとそもそも地元になかったり、経済的な理由から諦めざるを得なかったりと、みんながみんな選択肢に入ってくるものではありません。一方公立高校は全国各地にあり、学力レベルも様々なため、ほぼ全員が一度は進学を検討するでしょう。いわば国民の「共通言語」であり、気になってしまう存在なのです。

そもそも、日本全体まで広げてみてみると、私立中学に通っている生徒は全体の8％にすぎず、92％は公立中学に通っているのです。日本各地の旧帝大の合格者数上位校は軒並み公立高校ですし、京大も過半数が公立高校出身者で占められています。中学受験組が合格者の多数派となるのは、東京大学と医学部医学科くらいのものではないでしょうか。医学部に関しては学力の問題ではなく学費が払える家庭が限られており、そうした層が私立に集中しているだけという見方もできますが。

公立高校ランキング

そんな全国民が気になる「公立高校」について、ＳＮＳの世界では「【最新版】全国公立進学校ランキング（２０２３年）」なるコンテンツが注目を集めていました（図８）。

このランキングの制作者は公立進学校ｂｏｔこと翠嵐氏というＸ（旧Ｔｗｉｔｔｅｒ）やＹｏｕＴｕｂｅで公立高校についての情報収集・分析・発信をしているインフルエンサーです。翠嵐氏に選出基準を聞いたので合わせて紹介します。

翠嵐（公立進学校ｂｏｔ）氏は、Ｘフォロワー２・６万人のうち多くが難関高校・大学進学者や出身者で、フォロワーに呼びかけて名門高校の校内テスト情報や模試・共通テスト結果を定期的に収集しています。今回紹介した公立高校ランキングや、各校のウンチク紹介など、学歴ネタが注目を集めているので、ぜひチェックしてみてください。余談ですが、翠嵐氏の現在の職業は歌舞伎町ホストで、一般的なホスト客層のみならず学歴オタクや難関高校・大学出身者、受験関係者、受験生を子に持つ親などからも評価されています。

評価	選出基準
S+	私立最難関に比肩する学力を有する最上位公立進学校。2023年の共通テスト平均点を例にとると理系では東大寺学園737・4、横浜翠嵐723・7、甲陽学院722・8、北野713・0、文系では東大寺学園719・8、甲陽学院714・2、北野711・0、横浜翠嵐709・7となっており、私立最難関に引けを取らない数字を叩き出していることがわかる。
S	S+に次ぐ公立最上位クラス。旧帝大・医学部に半数近くが進学する。
S-	地方公立進学校の最上位が名を連ねる。札幌南は例年国公立医学部合格者数が日本一多いことで知られる。
A+	ほぼS-と同じ。このランキングは細分化しすぎているきらいがあるため、異論について多少は認めたいところ。
A	中核市レベルのトップ校や大都市の2番手校がメイン。入学難易度はSランクの学校ほどではないが、旧帝大・医学部に進学する人が大多数。
A-	ほぼ同上。茨木高校は大阪大の合格者数が例年日本一で、岡山大安寺中等は模試平均点ではAランクの岡山朝日を常に上回っている。
B+	入試倍率が低い、最上位層が薄い、学年人数が多くピンキリ…など個々の理由でS、Aには及ばなかったが、いずれも地域でのトップ校。
B	B+とほぼ同じ。例を挙げると、仙台第一はA+の仙台第二に比べて最上位層か少ないため東大や医学部進学者数は少なめだが、東北大学には例年日本一の合格者数を出している。
B-	10万都市レベルのトップ校が見られる。大都市ではないとはいえ、その地域のトップ層を取り込んでいるため、難関大進学実績は相当に高い。
C	B-にやや進学実績や模試平均点が劣るものの、それぞれの地域ではトップとして認められているような高校がほとんど。このランクでおよそ偏差値60後半が妥当か。

■ 図8 全国・公立進学校ランキング

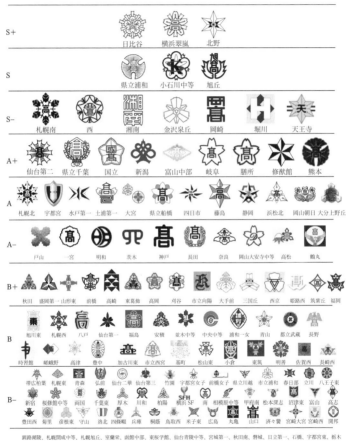

S+	日比谷　横浜翠嵐　北野
S	県立浦和　小石川中等　旭丘
S−	札幌南　西　湘南　金沢泉丘　岡崎　堀川　天王寺
A+	仙台第二　県立千葉　国立　新潟　富山中部　岐阜　膳所　修猷館　熊本
A	札幌北　宇都宮　水戸第一　土浦第一　大宮　県立船橋　四日市　藤島　静岡　浜松北　岡山朝日　大分上野丘
A−	戸山　一宮　明和　茨木　神戸　長田　奈良　岡山大安寺中等　高松　鶴丸
B+	秋田　盛岡第一　山形東　前橋　高崎　東葛飾　高岡　刈谷　市立向陽　大手前　三国丘　西京　姫路西　筑紫丘　福岡
B	旭川東　札幌西　八戸　仙台第一　福島　安積　並木中等　中央中等　浦和一女　青山　都立武蔵　長野 時習館　嵯峨野　高津　豊中　加古川東　市立西宮　基町　松山東　小倉　東筑　明善　佐賀西　長崎西
B−	帯広柏葉　札幌東　青森　弘前　仙台二華　仙台第三　竹園　宇都宮女子　前橋女子　県立川越　市立浦和　春日部　立川　八王子東 新宿　桜修館中等　両国　千葉東　厚木　川和　柏陽　横浜SF　南　相模原中等　甲府南　松本深志　沼津東　富山　高志 豊田西　菊里　彦根東　守山　洛北　四條畷　兵庫　桐蔭　鳥取西　米子東　広島　丸亀　山口　済々黌　宮崎大宮　宮崎西　開邦
C（校章略）	釧路湖陵、札幌開成中等、札幌旭丘、室蘭栄、函館中部、東桜学館、仙台青陵中等、宮城第一、秋田南、磐城、日立第一、石橋、宇都宮東、栃木 太田、高崎女子、川越女子、佐倉、国分寺、小山台、九段中等、立川国際中等、三鷹中等、南多摩中等、横浜緑ケ丘、平塚中等、長岡、新潟南 甲陵、上田、大垣北、岐阜北、多治見北、関、韮山、清水東、富士、藤枝東、磐田南、浜松西、瑞陵、半田、津、伊勢、小松、武生、生野、岸和田 尼崎稲園、畝傍、松江北、出雲、岡山操山、徳山、下関西、宇部、城東、徳島市立、今治西、城南、佐世保北、諫早、長崎東、大分舞鶴、甲南

◆僻地健闘枠　北見北斗、宮古、横手、鶴岡南、石巻、大田原、長生、吉田、七尾、飯田、伊那北、斐太、水口東、福知山、田辺、津山、脇町、武雄、楠隼

入学難易度・全国模試平均偏差値・大学進学実績を評価基準とする。　作成：公立進学校bot（歌舞伎町ホスト翠嵐）　@superschoolbot

都立高校が注目される理由

公立高校の中でも東京都に目を向けてみると、都立高校の進学実績や人気は上昇傾向にあります。魅力的な私立高校が多数ある東京都ですが、高校受験する中学3年生の第一志望は7割が都立高校のようです。都立高校が快進撃を見せ、受験生に人気の理由はなんなのでしょうか。

理由1　進学指導重点校の存在

都立高校が躍進を続ける理由その1は、進学指導重点校の仕組みが整っている点です。
進学指導重点校とは、その高校の共通テストの受験割合や結果をもとに、東京都教育委員会が進学に力を入れる学校を指定する制度です。具体的には「進学指導重点校」「進学指導特別推進校」「進学指導推進校」の3つの区分があり、特に進学指導重点校7校については「都立トップ7校」と呼ばれることもあります。

それぞれの基準として、まず「進学指導重点校」は、センター試験（現共通テスト）について、
1. 高校在籍者の中に「5教科7科目で受験する学生」の割合が、約6割以上いる
2. 難関国立大学などに合格可能な得点水準（約8割）に到達している学生が、受験者の中に約1割以上いる
3. 難関国立大学などへの現役合格者が15名（ただし、1学年の生徒数が都立高校は300名程度、中等教育学校は160〜180名程度）。具体的には、東京大学・一橋大学・東京工業大学・京都大学・国公立大学医学部医学科など
といった基準を設けています。進学指導重点校（都立トップ7校）の内訳は、日比谷、

戸山、西、青山、国立、八王子東、立川となっています。

続く「進学指導特別推進校」では、進学指導重点校に次ぐ大学合格実績を出している学校を指しており、各学校の学力向上に向けた取り組み状況などを総合的に考慮して、7校が指定されています。内訳は小山台、駒場、新宿、町田、国分寺、国際、小松川となっています。

最後に「進学指導推進校」では、進学指導特別推進校に次ぐ大学合格実績を出している学校の中から15校が指定されています。主に地域ニーズ・地域バランスや学校の取り組み状況などを総合的に考慮し、判断されます。内訳は三田、豊多摩、竹早、北園、墨田川、城東、武蔵野北、小金井北、江北、江戸川、日野台、調布北、多摩科学技術、上野、昭和となっています。


進学指導重点校に指定された高校では、受験に対応した授業展開や、土日・長期休暇中の補講など、大学入試を突破する上で必要な取り組みを行うことが求められるため、学力レベルが高く保たれ、都立人気の理由の一つとなっているのです。

理由2　指導レベルの高い教員の存在

都立高校が躍進を続ける理由その2は、教員の公募制の導入です。

理由1で紹介した「進学指導重点校」「進学指導特別推進校」「進学指導推進校」では教員が公募され、教育熱心で指導レベルも高い教員が採用されています。

公立高校なのでローテーションでレベルの低い教師が当たってしまう、といった事態を極力避ける仕組みになっており、実際にトップ7などの上位都立高校では、経歴や指導能力に優れた優秀な教員が揃っているようです。教師の質が高いのも都立高校人気の理由の一つとなっています。

理由3　自校作成問題の存在

都立高校が躍進を続ける理由その3は、自校作成問題の導入です。

都立高校入試では平成13年度の日比谷を皮切りに、翌年には西、16年度までに戸山、新宿、八王子東、国分寺、青山、墨田川、立川、国立が自校作成問題を取り入れるようになりました。これは都立入試の問題とは別に上位校が独自に出題する問題のことで、一般的な都立入試の難易度を逸脱したレベルの問題となっています。具体的には国語の1万字を超える読解や記述問題、英語の長文読解や英作文、数学の証明問題といった具合で、問題量が多く記述が難しいといった特徴があります。

この自校作成問題の導入によって、共通問題では差別化されなかった上位層の競争が進み、入学までに高い学力を身につけることが担保されるようになったのです。結果的に都立高校のレベルが上がり、受験生に人気となる理由の一つになっています。

東京都「学区制」の歴史

近年の高校受験を考えるにあたって、「学区制」の存在は切っても切り離せません。学区制とは住んでいる場所によって自動的にどこの学校に通うのか決まる仕組みのことで、主に小中学校で採用されています。学区は文部科学省の方針のもと、地域の事情を踏まえて各地の教育委員会が決定しており、児童・生徒の通学時の安全面などを重視する目的で運用されています。高校においても一部の地域では学区制が採用されており、住んでいる場所によって受験できる学校が限定されていたりします。

東京都の高校入試では1967〜1981年度まで学校群制度が採用されており、親御さんの中には「都立高校入試といえば学区制」という印象の方もいるかもしれません。当時目指されたのは都立高校全体のレベルの底上げであり、優秀な生徒を分散させることでした。

しかし、結果として当時の教育熱心な家庭は私立中高を志向するようになり、都立高校のレベルは低下しました。具体的には都立最難関で、１９６０年代には２００名近くの東大合格者を輩出していた日比谷高校でさえ、東大合格者数が一桁まで落ち込み、都立高校凋落《ちょうらく》の象徴となりました。

しかし、学校群制度が廃止されたことに加え、２００３年に東京都の学区が全廃されたことで、再び優秀な生徒が集まるようになり、約20年の時を経て名門都立高校は復活を遂げ始めています。日比谷高校ではここ10年ほどで、毎年30〜60名くらいの東大合格者を輩出するようになっています。

このように学校群制度・学区制が廃止された直近の都立高校進学実績では名門校の快進撃が進んでおり、この傾向は今後も続くものと思われます。親御さんの中には「都立高校＝学区制」で「優秀な生徒が集まりにくい」、という認識の方がいるかもしれませんが、これは現在のデータに照らし合わせると必ずしも正しいとは言えません。学区制が終了し優秀な生徒が集まりやすくなった名門都立高校から難関大学を目指す、というのも現在の一つの王道ルートなのです。

公立トップ校＝日比谷と私立トップ校＝開成の大学受験結果推移

都立トップの日比谷高校と首都圏私立トップの開成高校。現在東京都の高校受験市場で最上位層に君臨する2校ですが、**どうやらW合格した場合、公立の日比谷に進学する人が近年増加しているようです**。これは一昔前では考えられなかった傾向です。

2校の受験結果の推移（図9）を見る前に、簡単に両校の歴史を振り返っていきましょう。

「一中→一高→帝大」というのは、戦前のエリートコースの代名詞でした。帝大というのは現在の東大、一高は東大教養学部前期課程、そして一中は都立日比谷高校のことを指します。一中は戦後に日比谷高校となった後も圧倒的な進学校として全国に

■ **図9 日比谷高校と開成高校の東大合格者数の推移**

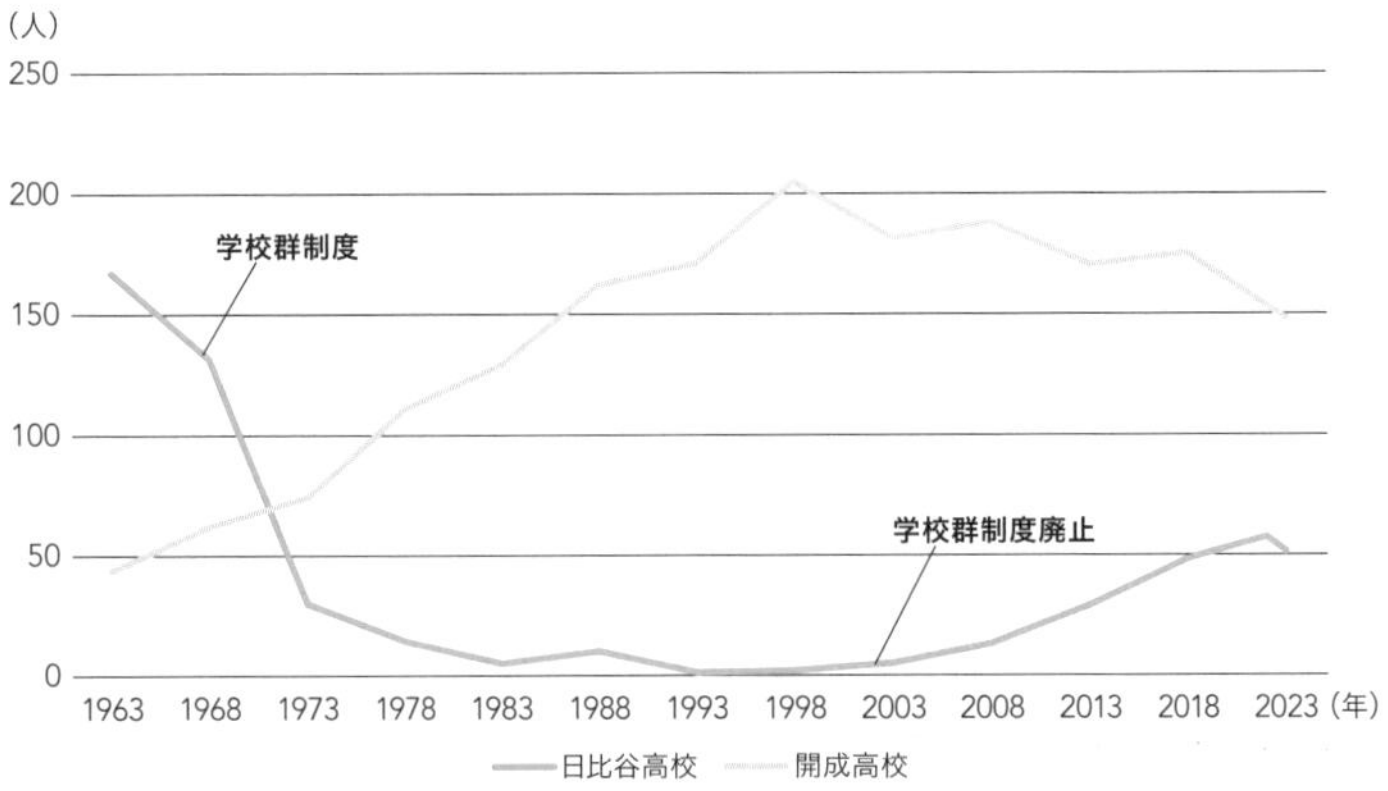

※『進学校データ名鑑』の各校合格者数を元に作成

名を轟《とどろ》かせることになります。１９６５年まで東大合格者数全国トップを独走し、１９６４年には１９３名もの東大合格者を輩出しています。この記録は２０１２年に開成高校が２０３名の合格者を出すまで半世紀近く抜かれることのなかった大記録です。

当時、このまま日比谷の天下が続くと思いきや、思わぬ事態が発生します。過熱する受験熱を緩和させることを目的に、「学校群制度」という制度が急遽《きゅうきょ》導入され、優秀層をグループ内の複数の高校に分散させるという仕組みとなったのです。この「学校群制度」導入により日比谷の進学実績はみるみる低迷し、20年後には見る影もなくなってしまいます。日比谷に限らず公立の進学校の勢いはなくなって、私立中高一貫校の時代が到来するというわけです。

公立進学校が凋落した１９７０年代以降は私立男子校が東大合格者数上位を飾るようになりますが、その筆頭が開成中高でした。開成は43年連続で東大合格者数トップを独走しており、「日本一の東大進学校」というイメージが完全に定着しました。

１９８０年代以降、完全に面目を失ってしまった日比谷ですが、２０００年代に入ってようやく状況が変わってきます。学区制が撤廃され、都立高校が息を吹き返してきたのです。１９９３年に「１名」にまで減っていた日比谷の東大合格者数は徐々に上向いていき、２０００年代後半以降より二桁で安定するようになりました。そして２０１６年には、およそ半世紀ぶりに50名を突破し、受験業界にどよめきが発生しました。２０２２年度入試では65名を記録し、東大合格者数ランキングＴＯＰ10入りを果たしています。

今や開成高校を蹴って日比谷高校に進学する学生も珍しくなくなりました。首都圏の中学受験割合が年々上昇し、高校から一貫校入学を志す人が減少したのも、かつてのような優秀層を高校から囲い込めなくなってきている原因かと思います。実際、女子校東大合格者数全国2位の豊島岡女子学園は、２０２２年度より90名の高校募集枠を完全廃止し、入り口を中学入試に限定しました。

都立復調の流れの中で、私立中高一貫校の高校募集がどうなるのか、今後も目が離せません。

高校の入試制度～推薦入試と一般入試～

高校受験の重要さについては理解を進めてもらえたと思いますが、ここで実際の入試方式についてもおさらいしていきましょう。

高校受験は大きく分けると、「推薦」と「一般」の二つの入試方式があります。

推薦入試とは基本的に学力試験がなく、内申点、調査書、面接、作文や小論文といった科目で合否が決まる入試方式です。都道府県や学校ごとで呼び名は異なり、「前期選抜」「特色選抜」などという名称がついていることもあります。卒業年度の1～2月など、一般入試より早く選考が行われます。

一般入試とは基本的に学力試験で合否が決まる入試方式です。ただし高校受験では中学時代の内申点も評価の対象となるため、学力試験「のみ」で合否が決まることはなく、「学力試験＋内申点」で合否が決まります。公立高校では英語・数学・国語・社会・理科の５教科、私立高校では英語・数学・国語の３教科の学力試験が課されることが多いです。私立高校は卒業年度の１～２月、公立高校は２～３月に学力試験が行われています。

このように「推薦」か「一般」かに分けられる高校入試ですが、より細かい選抜方法は都道府県や学校ごとに変わってきます。

東京都の高校入試を例に挙げると、まず都立高校入試は「推薦入試」と「一般入試」の２種類で選抜されます。

都立高校の推薦入試

推薦入試は学力検査がなく、調査書と面接や小論文によって合否が決まります。普通科の定員の20%ほどと枠が狭く、倍率は2倍ほどになるため難易度は高めです。例年1月末に面接などの当日検査が実施され、2月に合格発表が行われます。

調査書点は9教科5点ずつの計45点満点で換算され、面接や小論文の点数を含めた総合得点のうち、50%以下になるよう定められています。例えば2022年度の都立国立高校の推薦入試では、調査書450点、個人面談150点、小論文300点となっており、合計900点満点のうち調査書点は50%になっています。

都立高校の一般入試

一般入試は学力検査があり、5教科の入試点数と調査書の点数によって合否が決まります。一般入試といっても試験当日の5教科の点数でなく、中学3年時の内申点が調査書点として点数に含まれるのが特徴です。学力検査と調査書の比率は7対3となっており、１０００点満点のため学力検査は７００点、調査書が３００点となっています。２０２３年度からはスピーキングテストも追加され、総合得点は１０２０点となりました。

学力検査は国語・英語・数学・社会・理科の5教科がそれぞれ１００点満点で、計５００点に5分の7をかけて７００点に換算します。調査書は国語・英語・数学・社会・理科の5教科は5点ずつ、計25点満点、体育・音楽・美術・技術の4教科は5点×2の10点ずつ、計40点満点となります。調査書の満点は5教科25点＋4教科40点の計65点であり、得点率に３００をかけて３００点満点に換算します。65点のうち59点取れていたら、65分の59×３００で２７２点が調査書点になります。

難関私立高校の推薦入試

次に難関私立高校の推薦入試の例として、早稲田実業高校を見てみましょう。推薦入試の募集定員はスポーツ分野・文化分野合わせて約40名となっており、指定する中学校からの推薦枠が若干名となっています。出願資格に内申点の基準があり、中1〜中3までの内申点合計が94点以上で、評定1を含まないこと、となっています。各教科の5段階評定のうち平均3・5だと94を超える計算です。スポーツ分野、文化分野ともに全国大会や関東大会で活躍した成果や、都道府県大会やコンクールで8位以上または入賞した結果などが求められ、各分野の全国レベルの技能が条件となっています。

配点については特に記載がなく、課題作文、面接、大会・コンクール等の実績ならびに出身学校長の推薦書、調査書を総合的に判断して合格者を決定、となっています。

難関私立高校の一般入試

最後に難関私立高校の一般入試の例を見てみましょう。中高一貫の進学女子校、豊島岡女子学園が２０２２年に高校入試を廃止したように、中高一貫の進学校では高校入試を廃止する流れが基本です。そんな中、40年連続で東大合格者数1位を獲得する中高一貫の進学男子校、開成高校は高校入試を継続しています。行っているのは一般入試のみで、国語１００点、数学１００点、英語１００点、理科50点、社会50点の、計４００点満点で合否が決まります。内申点などが書かれた調査書を提出する必要はありますが、合否を決める配点には含まれていないようです。

このように高校受験の方式は多岐にわたるため、自身の受験したい高校について、中学校の先生や塾の有識者と一丸となり、詳しく調べておく必要があります。くれぐれも受験の直前になって「受験資格がない」「試験科目を対策していなかった」といった最悪の事態にならないよう、早め早めの調査・研究をしておきましょう。

推薦か一般か？

高校受験を控えた親御さんが気になるテーマとして、「推薦を受けるべきか」というものが挙げられると思います。高校入試の主流は一般入試とはいえ、受験機会が増える推薦入試を受けるべきかは悩ましい問題です。

基本は一般入試での合格を目指そう

私の見解としては、**スポーツや文化部といった活動で取り立てて成果がない場合は、全員が一般入試を目指すべき**と考えます。成果とは県大会レベルで主力として活動するくらいをイメージしています。その理由として、高校以降に大学に進学したり、社会に出た際に、基礎学力はやはり重要になってくると考えるからです。「受験勉強をするのが面倒だから」という消極的な理由での推薦の活用はおすすめできません。

昨今、大学入試において一般入試離れが加速しています。2023年にはついに総合型選抜・学校推薦選抜などの年内入試を利用する人が一般入試受験者数を上回り、「過半数が一般入試を受験しない時代」が到来しました。これは早慶上智といった最難関私大でも例外ではなく、いずれも現在の一般入学者比率は5～6割程度となっています。国公立大学でも例外ではなく、共通テストを用いない選抜入試が一部の国立大でも導入され始めています。

大学受験において基礎学力がペーパー入試によって測られなくなってきている昨今において、せめて高校受験の段階でしっかり5教科の基礎を身につけておくべきだというのが私の持論です。

「高校も大学もサクッと推薦入試で入りました」という人が最近増えていますが、やはり一般組と比較すると教養レベルの差を感じます。最短距離で学歴を獲得する「コスパ」という面ではそれでもいいのかもしれませんが、受験を通してどのような人間になりたいのかという最終ゴールを見誤ってはいけません。

入試は最低限の学力が身につく貴重な機会

公立高校出身者が評価される背景として、学校で教わる主要科目を満遍なく修めてきたというイメージがありますが、学力が最も身につくのはやはり入試対策だと思います。一発勝負の入試に向けて、毎日勉強に向かうからこそ、その人の血肉となるような思考体力が身につくのではないでしょうか。その点高校入試は英数国社理の5教科が満遍なく出題され、中学までの学習の成果を試すにはもってこいと考えられます。

推薦入学で早めに合格が決まるというのは、特に受験期になると喉から手が出るほどありがたい状況ですが、高校受験期にはあえて厳しい選択をした方が本人のためになると思います。

もっともスポーツや文化部の活動で、県大会で活躍できるような能力があり、高校進学後や卒業後もその分野を極めていきたいという強い意志があるのなら、推薦入試も選択肢に入れて構わないでしょう。

高校受験の「偏差値」とは

受験を語る上で欠かせないのが「偏差値」ですが、特に高校受験の領域では「偏差値」が誤って広まってしまっていると感じます。

そもそも偏差値とは、ある集団の中での位置を示す数値のことです。受験においては模試を受けた人の中で、自分がどの位置にいるかを把握するために用いられます。平均が50、標準偏差が10になるように変換して求めます。標準偏差とはデータのばらつきを表し、ばらつきが少ないときに平均より外れていれば、それだけ偏差値が大きくなる、といった表現がされています。偏差値50で上位50％（あるいは下位50％）、偏差値55で上位30・85％（あるいは偏差値45で下位30・85％）、偏差値60で上位15・87％（あるいは偏差値40で下位15・87％）、偏差値65で上位6・68％（あるいは偏差値35で下位6・68％）、偏差値

70で上位2・28％（あるいは偏差値30で下位2・28％）偏差値75で上位0・62％（あるいは偏差値25で下位0・62％）となります。

ネット上に出回っている高校の偏差値はあてにならない

このように偏差値とは母集団の中での上位（下位）を示すものですが、高校受験においてはある重大な問題があります。それは大学受験と異なり、全国共通で行われる模試が少なく、開催されても参加者が少ない、という点です。高校受験は都道府県単位で行われ、模試も都道府県単位で行われているものが盛んです。例えば東京都であれば進学研究会が行う「Vもぎ」、埼玉県であれば北辰図書が行う「北辰テスト」といった具合です。それぞれの模試は受験生の合格可能性80％を基準にその高校の「偏差値」をリスト化していますが、都道府県ごとの模試が違えば当然テストを受けている母集団は違います。東京のある模試での偏差値と、別の県でのある模試の偏差値は本来比べようがありません。

しかしインターネット上では、全国高校偏差値ランキングといった形で、全国の高校偏差値が掲載されていたりします。ひどいサイトだと、各県のどの模試の合格可能性何％の偏差値なのかを示していないものもあります。私や私の周りの「受験オタク」にとって、ネット上の高校偏差値はあてにならないというのが常識です。ネット上の情報はあくまで娯楽・ゴシップとして捉え、進路選択の際は「どの模試で」どのくらい偏差値を取れば合格可能性が高いのか、という点に注意してください。大抵はその高校が属する都道府県の統一模試が参考になると思います。

悪名高き内申制度について

高校受験を避けて中学受験に向かわせる大きな理由に「うちの子は内申点が取れそうにないから高校入試は厳しいかもしれない……」というものがあります。

実際、内申点というのはテストの点数や挙手の回数などによる定量的な基準で付けられるものではなく、（特に実技科目では）「素直で愛想が良いから」などといったきわめて曖昧な基準で付けられることも多いのが現状のようです。

私も愛知県の公立中学校時代は授業中に寝ていたり、先生に反抗するタイプの幼い生徒だったこともあり、数学の定期テストで98点をとっても「３」が付けられてしまったという苦い思い出があります。しかも当時の愛知県の高校入試は、内申点の比重が40％程度あり、一定の内申点を下回るとその時点でトップ高への道が閉ざされるという悲しい仕様になっていました（私は当然公立校は諦めざるを得ず、遠く離れた私立高校に進学することになります……）。

現在の高校入試は内申点が足りなくても戦える！

しかし、現在の都立高校入試に目を向けてみると、内申点が取れないからといって難関高校に進学できないかというと、必ずしもそういうわけではありません。**都立高校の場合、学力テストが7割で調査書が3割となっており、当日に高得点を叩き出せば十分逆転することも可能**です。

内申点の付け方も、以前の相対評価から絶対評価へと変更されており、全員が頑張ればば点がもらえるシステムへと変更されています。美術や体育といった向き不向きが露骨に出てしまう科目も、近年はテストの出来や前向きさなどによって最低でも「4」が狙えるようになってきていると言われています。

それから、繰り返しになってしまいますが、将来日本の企業社会でやっていきたいと思うのなら、こちらの「内申点稼ぎ」の能力は必要になってきます。伝統的日本企業の評価制度は、それこそ内申点と同じように、「意欲的に頑張っている（ように見える）」といった曖昧な理由で出世が決まります。そのため、10代のうちからこうした「上の人に好かれる」トレーニングを積んでおくことで、未来の自分に感謝されることになるはずです。

第3章

中学受験市場を知る

中学受験市場の推移〜東京都の小学生3人に1人は中学受験をしている？〜

近年、首都圏を中心に過熱傾向のある中学受験ですが、その伸び率はデータにも表れています。1988年からの首都圏中学受験割合を5年ごとに追ってみると、次のようになります。

1988年　8・7％
1993年　13・4％
1998年　12・8％
2003年　15・1％
2008年　20・6％
2013年　18・9％

２０１８年　20・1％
２０２３年　22・6％

最新の２０２３年では過去最高を更新しています。特に東京都に限っては30％を超えており、小学生のほぼ3人に1人が中学受験をしている計算になります。

大手中学受験塾「四谷大塚」の公表では、小学校低学年や幼稚園・保育園が対象の「全校統一小学生テスト」の受験者数も増加傾向にあり、中学受験を意識する小学校高学年未満の子供たちが多く受験していることから、今後も中学受験者は増えると予想しています。

中高一貫で難関大学を目指す名門中学には及ばないものの、そこそこの進学実績を誇る中堅中学や、独自のカリキュラムを提供する特色校にも人気が集まっているようです。

中学受験が重視される背景①大学入試改革

中学受験が盛り上がる理由は大きく三つあると考えています。

一つ目が大学入試改革です。文部科学省が取り組む教育改革で、各大学に求める方針のようなものです。その中で大学入試選抜は、生徒が高校までに身につけた力を、大学でさらに発展させ、社会へ送り出すことができるよう、入学段階で多面的・総合的に評価するよう位置づけられています。

具体的には、2021年に「センター試験」が「共通テスト」に変わったことが挙げられます。英語・数学の記述問題こそ見送りとなりましたが、多くの資料から情報を読み取る力や、資料と知識を結びつける問題など、それまでのセンター試験とは質

の異なる問題が出題されるようになりました。

２０２５年１月からは、新しい学習指導要領に沿ったテストとなり、新たな科目である「情報」が追加されたり、地歴公民が大幅に再編されたりするなど、共通テストはさらなる変化が予定されています。

またこれまで「ＡＯ入試」と呼ばれていた試験は「総合型選抜」に、「推薦入試」と呼ばれていた試験は「学校推薦型選抜」とそれぞれ名称が変わり、評価方法にも変化がありました。これまでは出願書類のみで合否を出すことも可能でしたが、新しい試験では小論文や面接、共通テストによって「学力評価」をすることが必須となっています。

これらの一般入試、ＡＯ入試、推薦入試の変化を受け、大学受験を意識する保護者の間では、中学・高校初期段階から大学入試を意識し、より精度が高く変化にもついていける指導のニーズが高まっています。

中高一貫校では大学受験を見据えた先取りや、大学受験に合わせたカリキュラムを取るところが多いと言われているので、変化する大学入試への対応力を求めて、中学受験をさせて中高一貫校に入ることに注目が集まっているのです。

中学受験が重視される背景②
首都圏私立大学定員の厳格化

次に首都圏私立大学の定員厳格化も中学受験を後押しする要因となっています。

これまで、私立大学の入試においては定員より多くの合格者を出したり、結果として定員より多くの学生が入学したりすることが特徴でした。国立大学の併願先になることも多く、ダブル合格した際に辞退されてしまうため、それを見越して多めに合格者を出すのです。入学者が増えれば授業料も増えるため、私立大学にとって定員以上の入学者が出るのは嬉しいことです。

しかし文部科学省は首都圏の私立大学に多くの学生が流れ、反対に地方の私立大学に人が集まらないことを問題視し、対策に乗り出したのです。

具体的には2016年に、定員の一定割合以上の入学者を出した私立大学には補助金を減らすことを発表しました。3000人の定員に対し、1・1倍の3300人以上の入学者がいたら補助金をカットします、といった具合です。

この文部科学省の方針を受け、各私立大学は合格者数の削減をせざるを得なくなりました。辞退されることを見越して多くの合格者を出してしまい、予想以上に入学したとなれば、補助金が出なくなり損をしてしまうからです。

実際、日本大学商学部は2019年、定員の19％オーバーの合格者を出してしまい、ペナルティとして約6億円の補助金を失うことになりました。首都圏私立大学は2016年以降、**合格者数減少によって有名私立大学付属校の志願者が増加し、入試難易度が高まった**といわれています。これが中学受験を後押しする要因になったと見ています。大学から入るのが難しいのであれば、もっと早い段階、中学受験で枠を確保してしまおうということです。

中学受験で「利確」はかえって損？

しかし、合格者調整のため補欠合格が増えたことで、一人暮らしの住まいを決めていたのに入学する大学が変更になるなど、入試の現場に混乱が見られたことから、2022年に定員数厳格化の緩和が発表されました。

これにより一学年の定員に対する入学者の割合でなく、生徒数全体の定員に対する在籍者の割合を基準に補助金を決定することになりました。ある年の入学生が多ければ、次の年は少なくするなど、複数年にわたって柔軟な対応ができるため、補欠合格でどうしても調整しなければいけないといった苦肉の策は取らなくてもよくなるでしょう。

このような**私立大学の定員数厳格化の緩和に加え、少子化の影響もあり、最近の首都圏私立大学、特にMARCHあたりには以前より入りやすくなっている**というのが私の認識です。実際にデータを見てみると、早慶上理MARCHの一般入試倍率変化（2013年→2022年）はそれぞれ次のようになっています。

早稲田（5・5倍→5・7倍）
慶應義塾（4・2倍→3・5倍）
上智（3・8倍→3・1倍）

東京理科（3・2倍→3・0倍）
明治（4・5倍→3・6倍）
青山学院（5・8倍→4・1倍）
立教（5・0倍→3・9倍）
中央（4・7倍→3・3倍）
法政（4・9倍→4・5倍）

一時期は定員数の厳格化で私立大学に入りにくくなると懸念され、中学受験をさせて早めに内部進学の権利を獲得しておこうという「利確」の動きが見られたため、中学受験過熱の一因となりました。

しかし現在では緩和が行われ、公立高校3番手グループあたりからもMARCHにバンバン受かる時代です。そもそも少子化のインパクトは想像の通り大きく、今後大学受験から難関私大に受かるのはますます簡単になるでしょう。

焦って中学時代からMARCHの付属校に入っても、もっと上を目指すべきだったという事態になりかねないので、注意が必要です。

中学受験が重視される背景③公立中学校への偏見

私立中高一貫校の方が進学指導が良質だから通いたいといったプラスの理由に加え、公立中学校は荒れていて民度が低いから通いたくないといったマイナスの理由も、公立中を避け私立中を受験する要因になっているようです。

まず公立中の方が荒れているという点について、事実を示すデータのようなものは見つかりませんでした。しかし体感としてはたしかに、学力選抜を設けていない公立中学校の方が多様な生徒が集まりやすいため、その結果不良やヤンチャな学生も一定数含まれる確率は高いでしょう。

しかし本当に不良やヤンチャな生徒は「悪」で、真面目に勉強をしている人は「善」

なのだから、悪を避けなくてはならないという単純な話なのでしょうか？

私は生徒の素行を善と悪の二元論で片付け、単純に悪を避ければ解決という考えこそ安直で危険な気がします。

社会でサバイブする能力は多様な人間との共存で身につく？

社会に出ると様々な価値観を持った人が共生しており、各々大事にしている基準のようなものも異なってきます。もちろん犯罪やマナー違反はいけないことなのかもしれませんが、世の中には綺麗事では片付けられず、人間同士のパワーバランスで勝敗が決することだって起こります。

例えば私が勤務していたM銀行では、純粋に勉強ができる人が出世してマネージャーになるのではなく、体格が大きくて周りを従えるオーラがあるとか、飲み会で重要な人と仲良くなるのがうまいとか、そういった数値化しにくい部分で活躍している人が多数いました。

その場その場で何が勝敗を決しているのかを見極めて、相手の価値観や利害も踏まえて立ち回る能力的なものは、均一な人々が「選抜された」環境ではなかなか身につきにくいでしょう。中学生という多感な時期に、様々なバックグラウンドを持った人たちと一緒に生活することで、時にはトラブルを経験しながら、人間関係のバランス感覚のようなものを養えると私は考えています。

そもそも公立中学が「荒れている」というのも根拠が少なく、地域や年によってもかなりばらつきがある話だと思います。社会に出てからのコミュ力や、人間的な成長を考えても、私は公立中学校に進むメリットは多くあると考えています。勉学面で足りないと思えば自習をするなり、進学塾に通うなりして補強していけばいいでしょう。

本当に「できる」生徒とは、周りに流されず、変に波風も起こさないバランス感覚を持ちながら、自分のやりたいこと、やるべきことをこなしていける生徒なのではないでしょうか。

早期化する中学受験対策

中学受験の対策は、一昔前（今の親世代）であれば、小学校4年生頃からで十分だと言われていました。しかし、年々参入の早期化が進んでいるようです。最近は低学年（小学1、2年生）から準備を始める家庭の割合が増えてきているようで、中には英語学習（おうち英語）などと並行しながら長期にわたる中学受験対策に精を出しているご家庭も多いと聞きます。

大手中学受験塾のSAPIXでは、入塾者の低年齢化が進み、小学1～3年生の定員が満員となっている校舎もあるようです。最近は落ち着いてきましたが、2020年頃には白金高輪のSAPIXの低学年クラスが満員となり、100人以上の待ちが発生したという話もありました。

少し前までは本塾でも小学校３、４年生からの入塾が一般的でしたが、近年は「席が確保できなくなる」懸念から早期の入学希望者が増加しているとのことです。

よく言われる要因の一つには、少子化で塾生確保が困難になっている塾側のプロパガンダが挙げられます。近年、首都圏の主要駅や電車内で中学受験塾の広告をよく見かけると思います。**少子化で横に拡大するのが難しくなった学習塾サイドは、タテ（下の学年）に塾生確保の活路を見出している**のです。

他塾よりも早く募集を開始して、実績に貢献してくれそうな優秀な塾生を囲い込みたいという「青田買い」の側面もあるでしょう。ただ、４年生あたりから入塾してくる優秀な生徒用の席を残しておきたいので、低学年の段階では早期に募集を締め切るという事情もあるのです。

娘さんと中学受験を乗り越えた私の知人は、娘さんが1年生の時からＳＡＰＩＸに通わせて伴走を続けていたと言い、近年ではそこまで珍しい話ではないとのことです。

早期からの中学受験対策は、学習習慣がつくといったメリットもある一方、受験直前期になって息切れし、「勉強嫌い」になってしまうなどマイナスに作用することも多いので、慎重な判断が必要です。

中学受験で疲弊する親子

中学受験に参入したものの、思うように結果が出ず、子供に当たってしまった結果、親子関係が悪化してしまったというケースは珍しくありません。

先日、中学受験生の子供が答えを写していたか何かでつい子供に手をあげてしまったという母親の投稿がX（旧Twitter）で拡散されており、色々なコメントが寄せられていました。

最初は「我が子の選択肢を増やしてあげよう」という優しい親心で中学受験に参加する家庭がほとんどですが、数年も経てば当初の温かい気持ちは失われ、目の前の偏差値やクラス分けに一喜一憂する教育虐待ママ・パパに変貌しているというのはよくある話です。

東海中学に息子をどうしても合格させたい父親が、我が子を刃物で脅しながら勉強させ、あるきっかけで激情してそのまま殺害してしまった事件がありましたが、本事件のマイルド版は今も日本の至るところで展開されています。

私の仲の良い友人は中学受験に成功し、そのまま超一流大学に進学、誰もが知る有名企業に就職しましたが、今でも母親のことが許せないと言います。その人曰く、母親は自分自身が満足するための「作品作り」をしていただけで、そこに愛情は全く感じられなかったそうです。

クラスが下がったり、過去問の出来が悪かったときには人格否定のような言葉を浴びせられ、それが今でも心の傷になっているようです。

こうした例は全く珍しいものではなく、X（旧Twitter）には、子供時代に親から受けた教育虐待の被害者たちのポストが溢れています。せっかく身を削って子供を名門中学に合格させたのに、このように将来子供に恨まれてしまうのはなかなか切ないものがあります。

そのため、我を忘れずに子供に向き合える、子供を自分の作品だと思わないという自信のある方のみ、「親の受験」とも言われる中学受験に参戦すべきです。

中学受験の「偏差値」は数字通りに受け取ってはいけない

中学受験を語る上でも欠かせない「偏差値」の概念ですが、中学受験の偏差値には気を付けないといけない点があります。

まず偏差値が母集団の中での位置を表し、真ん中が50になり、70、30といった具合で50から離れるほど上位、下位を表す点は高校受験や大学受験と同じです。しかし中学受験の場合、受験する層がそもそもかなり限られており、母集団のレベルが高いため、一般に想像する「偏差値50」と、中学受験で言う「偏差値50」には乖離《かいり》がある点に注意しなければいけません。

中学受験をする子供の割合は首都圏で20％ほど、全国では10％ほどですから、単純に中学受験をする層が小学生の学力上位20％、10％とするなら、中学受験の「偏差値50」は、その時点で首都圏の上位20％以上、全国では上位10％以上に入っていることになるのです。

中学受験の偏差値は＋15で考える

物理学研究者で受験事情にも精通する藤沢数希さんは、一般に中学受験系の偏差値は「＋15」することで直感と近いものになると言っています。つまり**中学受験の「偏差値50」は、高校受験や大学受験でいう「偏差値65」くらいに相当する**のです。

実際に東京の中学受験偏差値50近辺の学校を見てみると、成城中学校、成蹊中学校、國學院大學久我山中学校などが挙げられますが、これらの学校の高校受験時の偏差値を見てみると、成城高等学校65、成蹊高等学校60、國學院大學久我山高等学校69となっています。

■ 図10 合格可能性偏差値と合格実績

日能研中学偏差値	合格実績	学校例
65〜	東大50人〜、早慶200名〜	開成・麻布・渋谷幕張
60〜	東大10〜30人、早慶100〜150人	市川、芝、本郷
55〜	東大10人前後、早慶100人前後	巣鴨、逗子開成、城北
50〜	東大0〜5人、早慶50人前後	成城、高輪、帝京大学

※「日能研 入試情報」の偏差値、各校の実績を元に著者が作成

この偏差値帯の中学校（高校）からは、毎年東大に0〜5名程度、早慶に50名程度、GMARCHに100名程度合格しているので、中学受験偏差値50といっても侮ることはできません。学年トップクラスに入れば東大も射程圏内に入るレベル感です。

なお中学受験の学力偏差値と合格可能性を公表しているのは主に中学受験塾大手です。日能研、SAPIX、四谷大塚などが有名で、SAPIXの模試は中学受験生の中でもハイレベルな層が受験するので偏差値が出にくいとされています。合格率80％を基準にしているところが多く、それぞれの塾の頭文字をとって「N偏差値」「S偏差値」「Y偏差値」などと呼ばれる場合もあります。

最後に中学受験大手塾、日能研が算出している合格可能性偏差値と、進学実績のおおまかな相関を紹介しておきます（図10）。

名門中高一貫校紹介

高校受験を推奨する本ではありますが、ここで中学受験で入れる名門中高一貫校を紹介します。中学受験をしない人でも知っておくべき超有名校のみを厳選していきます。有名大学に入れば同級生になる可能性がありますし、周りに出身者がいなくてももはや教養として知っておきましょう。

中学受験では「御三家」と呼ばれる、歴史があり入試難易度が高く、大学進学実績も素晴らしい名門校が存在します。男子校と女子校それぞれに御三家と呼ばれる学校群があり、「男子御三家」「女子御三家」と呼ばれることもあります。**男子御三家は開成・麻布・武蔵の3校、女子御三家は桜蔭、女子学院、雙葉の3校を指します。**

男子御三家①開成中学・高等学校

開成中学・高等学校は東京都荒川区西日暮里にある、１８７１年設立の中高一貫私立男子校です。１９７１年から42年連続で東大合格者数１位を継続している、日本で最も東大生を輩出する学校です。

２０２３年度入試結果は東大１４８名、京大９名、国公立医学部38名、早慶３５５名の合格者を記録しています。進学実績からガリ勉集団と捉えられがちですが、運動会などの学校行事も盛んで、「運動ができるやつが尊敬される」（ＯＢ談）という体育会系な側面も持つ名門校です。

男子御三家②麻布中学・高等学校

麻布中学・高等学校は東京都港区元麻布にある、１８９５年設立の中高一貫私立男子校です。１９５４年から69期連続で東大合格者数トップ10を堅持しており、連続記録は開成高校をも凌《しの》ぎます。

２０２３年度入試結果は東大79名、京大14名、国公立医学部30名、早慶２３９名合格など圧巻の実績を残しています。校則がほとんどないなど自由な校風として知られ、「一芸に秀でた生徒が尊敬される」（ＯＢ談）常識に縛られない特色を持った名門校です。

男子御三家③武蔵高等学校中学校

武蔵高等学校中学校は東京都練馬区豊玉上にある、１９２２年設立の中高一貫私立男子校です。全盛期の１９８０年代には東大合格者80名以上を記録していた伝統校ですが、２０２３年度入試結果は東大21名、京大10名、国公立医学部9名、早慶90名合格となっており、最近の進学実績は控えめです。

東京ドーム１・５個分の広大な敷地で、敷地内に小川が流れていたりキノコが生えていたりと、練馬区の自然の中でマイペースに勉学に励んでいるイメージの名門校です。「～中学高等学校」が正式名称なほとんどの中高一貫校とは異なり、「武蔵高等学校中学校」が正式名称です。

女子御三家①桜蔭中学・高等学校

桜蔭中学・高等学校は東京都文京区本郷にある、1924年設立の中高一貫私立女子校です。東大合格者ランキングトップ10に28期連続でランクインしており、女子御三家の中でも頭一つ抜けた進学実績を誇ります。

2023年度入試結果は東大72名、京大6名、国公立医学部50名、早慶251名の合格者を記録しています。学年の7割程度が理系に進み、医学部に合格者を多数輩出するなど、世間の「女子」のイメージとはかけ離れて各々が興味が持った分野を突き詰める天才女子集団となっています。

女子御三家②女子学院中学・高等学校

女子学院中学・高等学校は東京都千代田区一番町にある、1870年設立の中高一貫私立女子校です。東大合格者数ランキングでは毎年トップ30にランクインしており、2023年度入試結果は東大27名、京大6名、国公立医学部14名、早慶220名となっています。

まごうことなき秀才集団ですが全員が高偏差値大学を目指すわけではなく、美大や音大に進む人も多いようで、「勉強ができる＝高偏差値大学に進学」という枠に囚《とら》われない自由な校風が特徴です。

女子御三家③雙葉中学校・高等学校

雙葉中学校・高等学校は東京都千代田区六番町にある、1909年設立の中高一貫私立女子校です。2023年度入試結果は東大13名、京大2名、国公立医学部8名、早慶123名合格と、御三家の中では見劣りしてしまいますが全国でも有数の女子進学校です。

フランスのサンモール修道会によって設立された築地語学校が母体となっており、「お嬢様学校」といえば雙葉を真っ先に思い浮かべる人も多い、秀才女子校の代表格となっています。

以上が中学受験でいう「御三家」の各校になりますが、近年では「男子新御三家」と呼ばれる海城、駒場東邦、巣鴨や、「女子新御三家」と呼ばれる豊島岡女子学院、吉祥女子、鷗友女子の計6校が「新御三家」として台頭しています。また関西では灘、洛南、東大寺といった「関西の御三家」と呼ばれれる名門校が存在します。

東京都世田谷区にある筑波大学附属駒場中学校・高等学校、通称「筑駒」は、国立校のため私立御三家のくくりからは外れていますが、東大合格者ランキング常連の名門校として知られています。

※合格者数は各校のＨＰ、受験と教育の情報サイト『Inter-edu』を参照

第4章

高校受験戦略

中学受験をすべき人

この章では高校受験をどのように攻略していくかについて紹介していきますが、前提として、高校受験ではなく、中学受験をすべき人も存在します。

早熟で認知能力は高い傾向にあるが、社会適応性の面がやや未発達で、先生に気に入られなそうな子は中学受験向きだと言えます。要は、明らかに内申点が取れなそうな子を高校受験市場に参戦させたら、芳しい結果は得られないだろうということです。

第2章で現在の都立高校入試では、約3割が内申点となっており、実技科目の配点が多く設定されているということを述べました。特に実技科目では、ペーパーテストの出来は最低限しか加味されず、意欲的に頑張っている（ように見える）といった曖昧な理由で内申点が付けられる傾向にあります。

そのため、勉強は得意だけど同級生と比較して精神的にやや幼い・協調性が低めといった傾向が小学生のうちから見られるようなら、中学受験の方が可能性が広がるかもしれません。中学受験では（一部面接のあるところもありますが）基本はペーパーテスト一発勝負で、勉強さえできれば突破できます。

先ほども触れましたが、私は明らかに「中学受験向き」な子供でした。中学入試や大学入試のように、単純にペーパー試験の点数順だけで合否が決まるのであれば自分はトップ公立高に受かったのに……と、しばらくの間引きずったのをよく覚えています。

「社会性に難点ありだが、勉強はできる」人におすすめのルート

将来の会社員人生を考えると、たしかに内申点を稼ぐ力はかなり重要な要素になります。しかし、各人には適性というものがあります。どうしてもそれが難しそうな子

に無理やり先生に媚《こび》を売る練習をさせ、エリート会社員予備軍に仕立て上げようとしたって無理があるのです。

そういう特性の強い天才肌タイプには、またそれぞれに合った道があるのだと考え、公立進学校→名門大学→大手ＪＴＣという優等生ルートは早期に諦めるのが吉でしょう。


ちなみに、そうした社会性に問題ありだが勉強はできる人におすすめなのは医師や公認会計士などの士業だったりします。

もちろんどの職業も他者との関わりは必ず発生しますが、これらの士業は組織内での立ち回りよりも個人の腕が評価される傾向にあります。当然高度な知的能力が必要とされますから、希少性も高く、一度資格を取ってしまえば一生食いっぱぐれる可能性も低いでしょう。

中学受験をすると最終学歴が1ランク上がる？

中学受験をすると、偏差値が2〜3程度上がるという説があります。要は、同じポテンシャルの子供を中学受験市場に参戦させることで、高校受験を選択した世界線より1ランク最終学歴が上がるというのは、周りを見ていても実感としてあります。

しかし、中学受験を選択することとは、公立コースに比べて最大1000万程度余分に資金を注入することを意味します。偏差値3のために1000万円を高いとみるかお買い得とみるかは、各々の経済状況にもよると思いますが、大多数の家庭にとっては「え、それだけお金かけてそんなもんなの？」というのが正直な感想ではないでしょうか。

ただ、日東駒専レベルの人が中学受験をしたことでGMARCHクラスになったとか、GMARCHクラスだった人が早慶になったみたいなケースであれば投資した価値はあると言えるでしょう。
第2章でも述べましたが、大手企業では「早慶」「GMARCH」といった大雑把な枠組みの中で学生を採用しており、1ランク上の大学群に入ることでかなり有利に働くことになるからです。

しかし、これが早慶下位学部から早慶上位学部、上智から慶應、一橋から東大のような違いしかもたらさないのであれば、就職先なども大きく変わることはなく、学歴から得られるメリットは投資に見合うとはあまり言えません。

ただ、これは受験と生涯年収でみた投資収益率というきわめて偏った考え方です。
こうした無味乾燥な「コスパ」の側面だけではなく、教育環境や教育理念といった面を重視して私立中学を選ぶご家庭もたくさんあるということは注記しておきます。

子供が「成功」するための課金戦略

子供への課金と聞くとまず塾や習い事が浮かぶと思いますが、塾や習い事へ課金することが自己目的化してしまい、子供の成長や将来の成功につながらなければ意味がありません。中学受験をはじめとする幼少期からの勉強への課金の他に、子供が将来「成功」するための課金について考えてみます。

私は早稲田から大手銀行に入るまでに出会った人々や、ＳＮＳを通じて出会った多くの高学歴人材を見てきて、成功するためには次の二つが重要なのではないかと考えています。一つ目はバランスのいい経験、もう一つは海外経験です。

1. バランスのいい経験

バランスのいい経験とは、試験一辺倒の学力の養成だけでなく、課外活動をしたり、友達と遊びに行ったり、家族で旅行に行ったりといった様々な経験のことです。特に私の周りで成功している人は、サラリーマンであれ起業家であれ、「コミュ力」に優れていると感じられます。

コミュ力とは相手の求めていることを察知したり、主張すべき際はうまく主張したり、そのくせ和を乱すことなく心地よい対人関係を維持できるような能力だと考えています。例えば勉強一辺倒だった人は、その場の空気よりも会話の「正解」を考えてしまい、強い主張をして空気が悪くなる、といった事故を起こしがちです。

集団で行動するときには、真理よりもその場の空気を優先すべき事態だって起こりえます。

かといって空気を読みすぎて何も言わないだけでは、主張ができない「モブキャラ」となり、集団の中心人物になるのは難しいでしょう。

本当に仕事ができる人は、プライベートを含め重要人物と良好な関係を築き、社内では根回しをして、人を動かせて決定ができる決断力を備えている人です。

そのような対人関係のバランス感覚のようなものは、幼少期からのスポーツ経験であったり、友達と遊んで喧嘩した経験であったり、家族間での信頼関係であったり、学校・地域での上下関係であったり、様々な対人関係を通して身につくものでしょう。

首都圏の中学受験が過熱化し、幼少期から塾へ課金して時間も労力もかける傾向が進んでいますが、お金や時間を投資すべきなのは勉強だけとは言えません。例えば集団競技のスポーツを小学校から続けていれば、周囲と協調して困難を乗り越える経験ができるでしょう。集団競技では個のパフォーマンスを高めるのと同時に、戦術を理解してチームに献身する協調性も求められます。集団競技を小さい頃から経験してきた人は、そのような「個と集団」のバランス感覚に長けていると感じます。

また意外に思われるかもしれませんが、「体力」も重要な要素であると感じます。社会に出て活躍するには仕事にプライベートに奔走する基礎体力が重要です。幼少期からスポーツに課金してもらい、良質な体力トレーニングを積んできた人は、大人になってからの活動のベースになる体力面でも秀でているでしょう。

このように、小学校時代に「課金」を検討すべきなのは、勉強以外にもたくさんあるのです。

2. 海外経験

また自分が見てきた成功者には、海外経験という共通点も見られます。総合商社勤務やメガバンクの海外駐在担当者といった世界を股にかけて働く人材は、それだけでハイスペック人材のため希少価値が高く給与も高い場合が多いです。直接海外勤務しない日系大手勤務のサラリーマンも、長期休暇や新婚旅行で海外に行く姿をよく目にします。

グローバル化が進んだ現代では、「世界を股にかける」というのは一流の証しになっていると感じます。

幼少期から海外経験を積むメリットは大きく二つあると考えています。一つ目が語学や文化といった海外の実態を体で吸収できる点、二つ目が「優秀さ」のアイコンになるという点です。

語学を学ぶならその言語が話されている場所で生活するのが一番いいのは言うまでもありません。ネイティブが話している生きた言語を体感することができますし、生活がかかっているとなれば脳も必死になってフル回転します。特に小学校など年齢が若いうちであれば、新しい言語に対する吸収も早いことでしょう。

また学校文化一つとっても、日本と世界では大きな違いがあります。

実際私は小学校低学年の時にアメリカで過ごしていましたが、現地の小学校では驚きの連続でした。同じクラスには色々な人種が混在しており、今までいかに自分が狭い価値観の中で生きてきたのか痛感しました。

私の家族と同じように世界各国から駐在で来ている人も多く、国籍も多様なため、文化や宗教の信仰の違いなどがあり、学校側もそれぞれの事情に合わせていました。

生徒たちは多文化理解が深まり、お互いがお互いの価値観を尊重していた気がします。日本の学校のような同調圧力は全くありませんでした。

語学学習や異文化理解という点で、幼少期から海外経験に時間やお金を割くのは一つの選択肢です。場合によっては中学受験に課金するよりも、その子の人生を豊かにするようなリターンが大きくなることでしょう。

さらに「海外経験」は、それだけでその人の優秀さを測る「学歴」に近い存在になってきているとも感じます。

近年の就活を経験した人なら常識となっていることですが、「体育会」と「留学」が就活で評価される二大ポイントになっているのです。

大手企業から内定をもらった人に話を聞くと、「私は体育会でもなければ留学経験もないけれど」などという謙遜のセリフをよく聞きますが、それほどまでに体育会と留学は就活で評価されるポイントとして世の中に定着しているのです。

実際に留学といっても数週間の旅行に毛が生えたようなものから、数年間研究に行くガチなものまで幅広いですが、就活では「留学」というワードが一人歩きして、「留学」＝語学堪能で、海外の人とも積極的に交流でき、留学に行かせられるくらいには家庭の金銭的余裕もあるなど、万能な指標として捉えられがちです。

数週間の旅行程度の留学に行ったからといって特段有能とは言えない気がしますが、そこは「学歴」の持つ第一印象のように、短時間で評価を下さないといけない就活における事情があるのだと思います。


いずれにせよ「優秀」といった第一印象を獲得できるのなら、海外経験をしておいて損はありません。大学生が短期留学に行くことが主流になるにつれ、大学時代では差がつかなくなり、高校以前になるべく長期で海外にいたことに評価が移っていく可能性もあります。

小・中学校の早い段階から時間やお金を投資する対象として、中学受験よりも「海外経験」はおすすめの選択肢です。

治安の良い公立中学エリアを選ぶ

「公立中学で出会った人々との経験は一生ものだ」などという理想論を語っても、実際勉強に身が入らない環境だったり、その結果我が子の進路にも悪影響になってしまったりしたらどうするんだ、という声もあるかもしれません。

公立中学校の実態を誇張するのが無責任であれば、それを単に否定するだけなのも無責任かもしれません。そのような「学校ガチャ」が怖い方には、私は住むエリアを選ぶことを勧めています。

これは多少差別的な発言になってしまうのかもしれませんが、住んでいる地区によって教育熱心で優秀な子供が多いエリアと、そうでないエリアがあるのです。

たしかに同じ「公立中学校」といっても、通うのはそのエリアに住んでいる子供ですから、遺伝・環境的に勉強に向いている世帯が多く住むエリアでは、子供たちの学習態度もよくなるといった傾向が見られても不思議ではありません。

どうしても公立中学校の治安が心配という親御さんは、勉強熱心な家庭が多く住むエリアを狙って住み、その学区の公立中学校に子供を通わせればいいのです。

実家周辺に住むのが決まっていて、住まいを「選ぶ」という発想が乏しい地方と比べると、首都圏在住の方にとって住居エリアを選ぶことはそこまで違和感がないのではないでしょうか。

教育熱心なエリアの見極め方①平均年収の高いエリア

ではどうやって「教育熱心な」エリアを見極めるかというと、首都圏であればまず平均年収の高いと言われているエリアがほぼ一致すると考えられます。

東京23区であれば、特別区ごとの平均年収ランキング上位は、1位港区（1185万円）、2位千代田区（985万円）、3位渋谷区（912万円）、4位中央区（712万円）、5位目黒区（639万円）となっています（総務省『令和3年度課税標準額段階別所得割額等に関する調査』より)。

このような上級サラリーマンが多く住むエリアでは、必然的に教育にも力が入れられ、遺伝的にも優秀な子供が集まりがちです。特に1位の港区あたりになると、公立中学とはいえ私立顔負けの設備を有していたり、優秀な生徒が集まっていたりします。親御さんが心配しがちな「公立中学が荒れていて学力に悪影響を及ぼす」といった可能性はかなり低いでしょう。このように学区やエリアごとの平均年収を参考にするのが一つの手です。

教育熱心なエリアの見極め方②在住者の主要勤務先

「教育熱心な」エリアを見極めるもう一つの方法として、そのエリアに住む人の主要勤務先を調べるというものがあります。一つ目の平均年収を調べる方法では出てこない、より細かな戦略を立てることができます。

例えばある地区に大手金融機関の家族寮があったとすると、その学区の公立中学校には大手金融機関の子供が通うことになります。特別区全体としては平均年収がさほど高くないエリアでも、その寮の存在によってその学区だけ異様に平均年収が高いということがあり得ます。

実際私が住んでいた愛知県豊田市では、某世界的自動車メーカーのお膝元だったため、そこで働く両親を持つ子供が多くいました。そのような家庭には遺伝的にも恵まれた優秀な子供が多く、地元の中学にも必然的に優秀な子供が集まっていました。

東京都内であっても「近くに○○社の関係者が多く住んでいたから」優秀な同級生が多かった、というような話は結構あります。実際に私がお聞きした話に、目黒区の公務員住宅エリアにある公立中学校に通っていたSさんの事例を紹介しましょう。

そのエリアにはキャリア官僚から一般の公務員まで、さまざまな属性の公務員一家が暮らしており、Sさんの同期には開成や筑駒をはじめ、都内トップクラスの高校に進学し、のちには東大に進学する生徒がたくさんいたといいます。

キャリア官僚の一家になると父親は東大から外務省のような典型的なエリートの場合も多く、相対的にとても優秀な生徒が多かったそうです。Sさん自身はごく普通の一般家庭で育ったため、学業の面では色々と衝撃を受けたと語っていました。またSさんが通っていた当時は相対評価だったため、中学では体育以外内申点が取りづらく、だいぶ苦労したそうです。

もちろん公立中学なので、キャリア官僚一家だけでなく、中学・高校を出て働く一般の家庭もあったそうですが、割合としてはやはり優秀な人が集まっている地域だったとのこと。このように、ある特定の企業や職業の人が多く集まる地域だと、公立中学とはいえ学業面で恵まれた生徒がそろうといったパターンも見受けられるでしょう。


こういったエリアは「荒れた」中学とは程遠く、切磋琢磨して学業に専念できる環境が整っている確立が高いです。その反面、優秀な学生に囲まれた自身のお子さんが、競争に疲弊したり勉強がコンプレックスになるといった弊害も考えられそうです。

どんな世帯が住んでいるか調べるのは教育熱心なエリアを見極め、「公立中学校ガチャ」を成功させる上で重要になってくるでしょう。

どのような会社の寮がどこにあるのかといったデータについて体系的にまとめられたものはなく、調べるのは大変かもしれませんが、職場にいるそのエリア出身の人に話を聞いたり、「企業名＋社宅」と検索するなどして、優秀なエリアを見極める参考にすることは可能です。

東大に受かるための高校受験戦略

東大、あるいは京大・一橋大・東工大といった東大に次ぐ最難関大に受かる戦略ですが、色々な人の話を聞く中で、公立中・高からでも十分合格は可能です。

ただし東京一工はやはり合格枠が少ないため、小学生といった早い段階から対策を進めても、必ずしも希望通りの結果にならないと覚悟する必要があります。

――合格実績のある高校で頑張る

公立中・高から難関大へ進学するには、「難関大への合格実績のある高校に入り、合格できる学内順位を取ろう」が基本方針です。もちろん高校内の順位で合格が決まるわけではないのであくまで目安にはなりますが、小学生・中学生といった早い段階から難関大を目指す場合にはわかりやすい指針となるでしょう。

東京一工に多く合格者を輩出している名門公立高校に受かる王道ルートとは、東京であれば都立日比谷高校、神奈川であれば県立横浜翠嵐高校といった高校に進学することです。

これらの高校の直近の大学合格実績を見ると、30名ほどが東大に進学しているので、ざっくりと校内で30位くらいに入っていれば東大に手が届く水準になります。

高校の授業だけで難関大に受かるのか、予備校などに通う必要があるのかは高校によります。最難関高校では授業のみ完璧にしていれば東大に受かることもありますし、塾・予備校で先取りが必要な高校もあります。中学生以前の段階では、「東大に受かるような高校に入り、東大に受かるような校内順位を取る」ことを大まかな目標にしてください。

「中学範囲の完全理解」を目指そう

では各都道府県の名門公立高校に受かり、上位の成績を収めるために、中学以前ではどのような方針を立てるのがよいのでしょうか。

上位高校に受かり、大学受験でも結果を出している人に話を聞くと、その多くが**中学レベルでは学校の勉強を完璧にし、高校受験で満点近い高得点を取ることが必須**といいます。

難関大学を目指すといっても、中学生のうちから焦って高校以降の内容を先取りすることが有効とは限りません。中学生範囲で求められていることをしっかり理解し、高校入試範囲を完璧にすることは意外と大変ですが、授業で扱ったことはその時期に理解し切る、高校入試問題は全教科で満点が取れる、といった「中学範囲の完全理解」を目標に、着実に学力をつけていってください。

もちろん余裕があったり得意教科があったりする場合は、高校範囲をどんどん先取りしていって構いません。

塾では学校範囲外の応用問題や中学範囲の先取りが望ましい

高校受験を見据えて塾に通うことも有効ですが、私は特に特定の塾・予備校を推奨することはしません。強いて言うならば、難関大に受かった人に話を聞くと、「補習ではなく先取り」「中３の１年間か遅くとも夏からは過去問対策」といったことが塾選びのキーワードになってきます。

塾で学校授業の補習や、定期テスト対策をしているようでは難関高校への進学は厳しいでしょう。学校範囲は学校の授業と自習で完璧にし、塾では応用的な問題や、中学範囲の先取りをしていくのが望ましいです。

結果として中３の春か、遅くても夏休みまでには中学範囲を履修し終え、高校入試問題の対策を１年〜半年にわたって繰り返していけるようにしましょう。

塾選びの際は周囲の評判や、体験授業などを通し、「先取りしているカリキュラムなのか」「中3の1年間近くを演習に充てられるのか」といった点を意識して塾を決めていくのがいいでしょう。

小学生での対策

中学よりさらに早い段階、すなわち小学生の時期にも、やはり基礎的な学力の向上が鍵となってきます。

難関高校・難関大学に進んだ人に話を聞くと、小学校で学んだことはそこまで苦労しなくてもテストでいい点が取れていたと聞きます。**将来的に難関大学を目指すのであれば、小学校の授業で習ったことはその場で完璧にしていく必要があります。**

欲を言えば、難関大を意識する小学生や小学生のいる家庭では先取り学習を取り入れてほしいです。色々な人に話を聞く中で、英数といった基礎教科、特に英語については先取りが有効との声を多く聞くからです。

中学範囲を先取りできる塾に通うのもいいですし、課金がためらわれる場合は自分で参考書を1周してみるのでもいいでしょう。

中学受験しない場合でも、中学受験の問題を解いてみることで将来のライバルとなる小学生はどのくらい勉強しているのか実感することも有効です。公立中・高から難関大学を目指す場合は、小学校レベルの完全理解＋英数の先取りなどプラスアルファの勉強が望ましいです。

部活や習い事への熱中も◎

また公立中高から難関大を目指す場合は、部活や習い事といった勉強以外の活動に力を入れる人も多い印象です。特に中学校、小学校といった大学受験から遠い時期であればあるほど、スポーツや趣味といった自分の熱中できる対象につぎ込む余裕は多くあります。

受験は長期戦になるので、スポーツで体力や集中力を鍛えていた人は高3の最後になって力を発揮しやすくなります。趣味に熱中することで、学力以外の思考力や判断力が鍛えられ、結果的に大学受験で地頭が生かされるといった好影響もあるのです。

そもそも大学以降、社会に出てから求められるのはペーパー試験の結果だけではありません。公立中・高に進む方は「中学受験しなくてよい」という時間的・体力的余裕を無駄にせず、自身の熱中できる取り組みに全力を注いでください。その経験が大学受験の時に生かされたり、もっと先の人生で役に立ったりするはずです。

医学部に受かるための高校受験戦略

医学部に合格するための受験戦略も、基本的には東大など最難関国立大に受かる戦略と変わりません。すなわち、「医学部に合格実績のある名門高校に入り、合格できる校内順位を目指す」ことになります。

直近のデータでは都立日比谷高校から26人（内13人が現役）、横浜翠嵐高校からは14人（内14人が現役）が国公立医学部医学科に進学しています。これらの高校に入り、上位20〜30番代に入っていれば国公立医学部への合格水準と言えるでしょう。

もっとも医学部受験の場合は合格難易度の序列も多少異なるようで、旧帝医学部、医科歯科大といった最難関大の難易度が最も高いのは言うまでもありませんが、その他地方の国立大となると難易度はぐんと下がるようです。

地方の医学部であれば、東大の非医学部に入るより難易度は格段に低いといった声もあり、どうしても医学部に入りたい場合は大学名にこだわらず、地方への進学も視野にいれれば、名門高校の最上位クラスでなくとも合格水準に達することもあるでしょう。

そのような「医学部特化」の対策は受験期に考えればいいので、特に中学以前の早い段階では、その他の難関大を目指す場合と同様に基礎学力の完成を目指しましょう。中学生であれば公立高校入試でほぼ満点が取れる状態、小学生であれば学校テストで満点が取れる状態に加え英数国といった主要科目の先取りをしている状態が望ましいです。
医学部ということは必然的に理系科目を得意にしておく必要も出てきます。全科目満遍なくできるようになる必要がありますが、余裕のある人は小・中学校段階から数学を先取りしていくなど、理系を意識した対策も有効でしょう。

早慶に受かるための高校受験戦略

早慶に受かるルートとしては、大学入試、高校入試、中学入試、小学校入試に大別され、その中でも一般や推薦といった入試方式の違いがありますが、ここでは大学入試の一般受験で早慶に合格する戦略を考えてみます。

早慶に合格する場合も、「合格実績のある高校に入り、合格が狙える順位を目指す」といった大まかな方針は変わりません。

早慶に合格する層は東京一工や旧帝といった難関国立の併願として受ける層が多いので、早慶を目指す人も、特に高校1～2年生や中学以前といった早い段階であればあるほど、まずは難関国立大学に受かる学力を意識して勉強していくべきでしょう。

ただ早慶一般入試の場合は、文系であれば英国社、理系であれば英数理（理工学部であれば理科2科目）といった3～4教科に特化すればいいという特徴があるため、どこかの段階で科目を絞って対策するという専願ルートも考えられます。

名門公立高校では私立専願が推奨されない学校も多いとは思いますが、東京一工といった難関大受験生でも落ちることのある早慶一般入試の難易度を考えると、**どうしても早慶にいきたい人は科目を絞るのも一つの戦略**でしょう。

時期としては高2冬～高3春頃からで十分とは思いますが、文系で数学がどうしても苦手、理系で国語がどうしても苦手といった事情がある場合は、もっと早くから科目を絞って対策していくことも一つの手です。

大胆な戦略を取るなら高校に入った直後から科目を絞るといった対策も考えられますが、**早慶一般入試を受ける層は難関国立大受験層なので、最初から科目を絞りすぎると地頭の体力勝負のような面で全く太刀打ちできないといった事態にもなりかねません。**

高校生が身につけるべき教養という意味でも、受験期になるまではなるべく幅広い科目を勉強して受験する気でいた方が身になるでしょう。

また早慶の場合は高校、中学、小学校といった大学以前の段階から付属校に入るというルートもあるため、住んでいる地域などから付属校が選択肢に入る場合もあると思います。特に高校受験では、私立高校受験の中では最難関ではあるものの、早稲田大学高等学院、慶應義塾高校などはそれぞれ４００人近い募集を行うなど、チャンスも大きいです。

これら付属校の中学入試の定員は１００〜２００名しかなく、かつ中学受験をする層は同世代の最上位層と考えると、中学受験から早慶に入るよりは高校受験で早慶を狙った方が入りやすいという考え方もあります。

部活で打ち込みたいことがあるとか、弁護士・会計士といった希望する職種がすでにあるといった場合は、公立高校から最難関大を目指すのではなく高校受験で早慶を「利確」してしまうというのも一つの戦略だと思います。

地方在住の高校受験戦略

首都圏や関西圏といった都市部から離れた地方在住の場合、受験で気を付けるべきことは主に**都市部との情報格差**です。情報格差には2種類あると考えられ、一つ目は「受験情報」の格差、二つ目は「勉強方法」の格差です。

1．受験情報の格差

「受験情報」の格差とは、都市部の大学の実態がどのようになっているか、また就活以降出身大学がどう評価されるかといった認識のずれを指します。地方にいるとその県や地域を代表する国公立大がまず選択肢となり、早慶やＧＭＡＲＣＨは併願として捉えられることが多いです。

高校での進路指導でも、まず国公立大を目指そうという国公立信仰が根強いという話を聞きます。しかし大学での充実度や、就活・昇進などを考慮した場合、地方の国公立信仰は必ずしも正しいとは限りません。

わかりやすい例でいうと、就活で全国区の大手企業を受けようと思った場合、GMARCHがボーダーとして考えられることが多いです。人事の採用担当者は膨大な志望者を捌《さば》かないといけないので、GMARCHを基準に足切りのようなことをしています。

そして地方の名のない国公立大だと、この基準にかからないこともあります。就活では数の暴力・同質化といった側面があるので、GMARCHなどの都市部の私立大学生を多く採ると、社員にもGMARCH以上出身者が増え、またGMARCH以上出身者を採用するというサイクルになるのです。

数の力で劣りがちな地方国公立大生は結果として就活で苦戦を強いられます。就職後の昇進でも派閥を作りにくいといったデメリットがあるでしょう。

「地方国公立よりGMARCHの方が就活以降で有利」というのは、ひょっとすると首都圏での偏った学歴観なのかもしれません。実際に大手企業に文系総合職として入社するルートが全てではありませんし、地方から早慶に出てきた人の中には、地方国公立に進んで地方の県庁などを目指す方が幸福度が高かったかもしれないと語る人もいます。

しかし実態として「就活」があり、就活では都市部の私立大学が力を発揮するという現実路線に立つならば、地方の国公立信仰に立ちすぎて将来後悔するといった事態にもなりかねません。最終的にどういう決断をするにせよ、**「地方」と「都市部」では学歴観が異なる場合がある**、というのは地方在住の方が注意すべき観点でしょう。

2. 勉強方法の格差

もう一つ注意すべきなのが「勉強方法」の格差です。
私自身東海地方から早稲田大学へ進学した際に強く実感しましたが、都市部には小・中学校といった早い段階から受験を意識し、塾に課金して時間とお金を投資してきた家庭が普通にあります。東海地方などまだマシな方で、もっと田舎の県から早稲田に進んで現実に驚いたという早稲田生もいました。
地方になればなるほど学校内の勉強で順位が出やすく、子供の頃「神童」と呼ばれることもあるかもしれませんが、大学受験は全国区の争いであり首都圏の受験エリートたちも当然参戦してきます。首都圏での熾烈《しれつ》な中学・高校受験を経験せず、いきなり大学受験を経験することになる地方在住の方は、厳しい現実に直面することもあるでしょう。

具体的にはやはり、首都圏の受験生は小・中学校といった早い段階から質の高い教育を受けている点、大学受験勉強においても質・量ともに高いといった点が地方受験生のネックとなるでしょう。幸いなことに今ではＹｏｕＴｕｂｅやＸ（旧Ｔｗｉｔｔｅｒ）といったＳＮＳが発達しており情報を手に入れやすいですし、オンライン塾や配信授業によって地方在住でも質の高い教育を受けることができます。

そういったツールを使い、なるべく早い段階から全国レベルの教育を受けることが、地方から東京一工・早慶といった最難関大学への合格につながるでしょう。

「神童」が「井の中の蛙」にならないよう、自己肯定感は高めつつも都市部との差を常に意識しながら勉強に励むことがよい受験結果につながると考えています。

不登校・発達障害の受験戦略

近年注目を集める不登校や発達障害などの事例ですが、もし子供がこのような状況になってしまった場合、どのように受験対策をすればいいのでしょうか。

文部科学省の調査では、2022年度、不登校の小中学生が過去最高の29万9千人に達したと発表されました。これは全小学生の1・7%、全中学生の6%にあたり、2クラスに一人は不登校がいる時代となっています。

不登校になってしまう理由には、心身の不調で朝起きることができなかったり、授業のペースについていくことが困難になり登校を拒否してしまったり、いじめにより精神的に傷ついてしまったり、家庭で家族の世話や介護をしなくてはいけない事情があったり、それらの要因が複数重なっていたりと様々なようです。

不登校→本人の改善＋不登校に寛容な学校

不登校になってしまった場合の対応方法は、本人の改善と、制度の攻略という2点を考える必要があるでしょう。

まず本人の改善とは、受験云々の前に、本人に心の傷などがある場合は早急にそれを取り除くような対応が必要になるということです。無理に登校を強制すれば逆効果になりかねませんし、本人の様子や希望を見て、柔軟に対応していくことが大切です。医師やカウンセラーへの相談が必要なのは言うまでもありません。

次に制度の攻略とは、不登校でも高校に合格できる方法を考えるということです。特に公立高校入試の場合は、内申書や調査書が合否に直結するため、登校日数が足りなければ門前払いされかねません。保健室への登校や、不登校専門のフリースクールに通うことで出席日数を稼ぐことができる救済制度もあるようなので、学校の先生や、自治体の相談窓口などに相談してみましょう。

また私立高校や通信制高校などでは、出席日数を重視しなかったり、不登校でも受け入れている学校があったりするため、そういった高校を狙うというのも一つの手です。

一時的に学校になじめなかった場合でも、本人の学力は高く、環境が変わればむしろ好成績を収めるといったパターンも十分考えられます。不登校になってしまった場合は本人のケアを最優先に、受験制度も最大限攻略して新しい環境に挑戦するのがいいでしょう。

発達障害

また発達障害も近年注目を集める症例です。発達障害とは生まれつき脳機能の発達に関連した障害があることで、代表的なものに自閉スペクトラム症（ＡＳＤ）や注意欠如・多動症（ＡＤＨＤ）があります。

自閉スペクトラム症（ASD）は、社会的コミュニケーションや対人関係の困難さや、限定された行動、興味、反復行動を特徴としており、自閉症やアスペルガー症候群、広汎性発達障害などが統合されてできた診断名です。

学校では友達とうまく交流できない、授業よりも自分の行動を優先してしまう、頑張っているように見えないので内申点が悪くなるといった問題が起こり得ます。

ASDの人は自分の世界に入り込んでしまいコミュニケーションが取れないといった難点がある一方、こだわりのある分野では天才的な成果を収める場合もあります。

注意欠如・多動症（ADHD）は、不注意（集中力がない）、多動性（じっとしていられない）、衝動性（思いつくと行動してしまう）といった症状が見られる障害です。

学校では席に座っていられない、授業に集中できない、忘れ物をしてしまうといった問題行動を起こしてしまう可能性が高いです。

ADHDの人は型にはまった生活に向いていないものの、脳内多動と呼ばれる頭の回転で天才的な学業成績を収める場合もありますし、常人では思いつかない発想力を持っていたりもします。

ＡＳＤ、ＡＤＨＤいずれの場合も、「授業に出て、やる気のあるようにふるまう」といった内申点で重要とされる項目に向いていません。そのため通常の中学校ではテストの点数が良くても内申点で伸び悩むといった可能性があります。

小学校の段階で勉強に適性があれば、内申点を使って高校受験しなくても済むよう中学受験をする選択肢がありますし、高校受験では内申点が重視されない私立高校を受験する選択肢があります。

発達障害の場合は環境さえ適していれば学業面で高い成果を発揮する場合もあるため、本人の適性を見極めて強みを伸ばす環境を与えてあげる必要があります。
もちろん医師やカウンセラーなど専門家に相談することが重要なので、我が子が発達障害かも？と思った段階で専門家に相談してみましょう。受験校の選定については塾・予備校などの受験の専門家に相談することも有効です。

都道府県ごとの高校受験戦略

そもそも入試の概要は住んでいる都道府県によって変わるため、自分たちが住んでいるエリアの入試概要を頭に入れておくことは、高校受験戦略を立てる上で大変重要です。

47都道府県全てについて紹介はできませんが、一部について書いていきます。

東京都の高校入試概要

東京の進学校の特徴は、言うまでもなく「公立」「私立」ともに名門校が豊富で、高い進学実績を誇っている点です。中学受験割合も2割ほどと高く、区によっては4割以上が私立中学に進学しています。東大など最難関大合格実績では私立の中高一貫名門校の躍進が顕著です。

一方で公立高校の進学実績も高く、高校受験では7割以上が公立校を志望するなど、公立高校の人気も根強いのが特徴です。

都立高校入試は「推薦入試」と「一般入試」の2種類で選抜されます。推薦入試は学力検査がなく、調査書と面接や小論文によって合否が決まります。調査書点は9教科5点ずつの計45点満点で換算され、面接や小論文の点数を含めた総合得点のうち、50％以下になるよう定められています。

一般入試は学力検査があり、5教科の入試点数と調査書の点数によって合否が決まります。試験当日の5教科の点数だけでなく、中学3年時の内申点が調査書点として点数に含まれます。学力検査と調査書の比率は7対3となっており、1000点満点のため学力検査は700点満点、調査書が300点満点となっています。2023年度からはスピーキングテストも追加され、総合得点は1020点満点となりました。学力検査では「進学指導重点校」7校を中心に、難易度の高い自校作成問題が出題される学校もあります。

私立高校については、中高一貫の進学校では高校入試を廃止する流れが基本です。開成高校のように高校入試を継続している進学校もあります。開成高校の場合、入試方式は一般入試のみで、国語100点、数学100点、英語100点、理科50点、社会50点の、計400点満点で合否が決まります。内申点などが書かれた調査書を提出する必要はありますが、合否を決める配点には含まれていないようです。

東京都の代表的な名門公立高校

高校名	21 ～ 23 年大学合格実績一例（2021 ～ 2023・既卒含む）	寸評
都立日比谷高校	東大：63 名→ 65 名→ 51 名 京大：10 名→ 13 名→ 4 名 一橋：19 名→ 9 名→ 10 名 東工大：11 名→ 7 名→ 3 名 早稲田：221 名→ 184 名→ 175 名 慶應：152 名→ 147 名→ 81 名 など	戦前のエリートコースの代名詞として、「一中→一高→帝大」という言葉があり、帝大というのは現在の東大、一高は東大教養学部前期課程、そして一中は日比谷高校のことを指す。1965 年まで東大合格者数全国トップを独走し、1964 年には193名もの東大合格者数を輩出するも、学校群制度により一時は東大合格者数が激減。しかし現在は持ち直し、東大合格者数ランキング常連校になっている。
都立西高校	東大：20 名→ 27 名→ 17 名 京大：21 名→ 23 名→ 18 名 一橋：17 名→ 19 名→ 20 名 東工大：13 名→ 13 名→ 10 名 早稲田：154 名→ 172 名→ 144 名 慶應：87 名→ 104 名→ 86 名	都立ナンバースクールの府立十中を前身とする、歴史ある名門校。京都大学への合格者が多いという特徴があり、京大合格者＞東大合格者となる首都圏では珍しい学校でもある。校則のない自由な私服校であり、学問を追求するアカデミックな校風。生徒の 6 人に 1 人が帰国子女であることでも知られ、それもあってかハーバード大学大学院やマサチューセッツ工科大学での体験授業も実施している。
都立国立高校	東大：19 名→ 19 名→ 10 名 京大：10 名→ 15 名→ 17 名 一橋：22 名→ 14 名→ 22 名 東京外語：7 名→ 6 名→ 8 名 早稲田：112 名→ 151 名→ 131 名 慶應：58 名→ 83 名→ 68 名	関東圏を中心に高い進学実績を誇り、一橋大学や東京外国語大学など多摩地区の国立大学への進学者が多くいるのが特徴。非常に自由な校風で、勉強も部活も全力というリア充な雰囲気を感じる。 「国高祭」と呼ばれる文化祭の完成度が非常に高いことでも知られ、「日本一の文化祭」と称されることもある。例年約 1 万人の来場者数を誇る。

※学校HP、受験と教育の情報サイト『Inter-edu』を元に作成

神奈川県の高校入試概要

神奈川県の進学校の特徴は、東京と同じく「公立」「私立」共に名門校が多く、群雄割拠している点です。

高校の入試制度は、学力試験は1回ですが、合否判定が第一次選考と第二次選考に分かれているという特徴があります。第一次試験は内申点・学力試験・面接などで選考、第二次選考は内申点を用いず、学力試験のみで選考となっています。

第二次選考は、昨年までは内申点を用いず学力試験のみの選考となっており、内申点の取れない学生たちの救済措置となっていたのですが、2024年度より大幅な変更が施されました。なんと、中学3年時における9教科に関する調査書の「主体的に学習に取り組む態度」の評価を数値化したものが、これからの第二次選考で活用されることになったのです。第一次選考のみならず、第二次選考においても調査書が選考資料になったため、これまでのように「当日点のみでひっくり返す」という受験プランは組めなくなりました。

また神奈川県の高校入試の特徴として、入試問題が難しいと言われている点が挙げられます。理科・社会の平均点が30点台という年もザラにあり、他県では50～60点台で推移していることを考えると、難問が多く出題される傾向にあると言えるでしょう。

内申点と学力試験の比率を見てみると、**難関校になるほど学力試験の比率が高くなり、学力レベルの低い学校になるほど内申点の割合が高くなるという傾向があります。**例えば神奈川最難関の横浜翠嵐高校の内申点割合は2割ほどですが、そこから難易度が下がるほど内申点割合は3割、4割と比率が上がっていきます。難関校ほど学力試験当日の結果を重視していると言えるでしょう。

内申点では中2からの成績が考慮され、中3のみの他県と比べると、早めに入試を意識して内申点を積み上げる必要があるのも大きな特徴となっています。

神奈川の代表的な名門公立高校

高校名	21 ～ 23 年大学合格実績一例 （2021 ～ 2023・既卒含む）	寸評
横浜翠嵐高校	東大：50 名→ 52 名→ 44 名 京大：7 名→ 6 名→ 14 名 早稲田：156 名→ 142 名 → 179 名 慶應：128 名→ 136 名→ 138 名	近年異様なまでの進学実績の伸びを見せているのが特徴で、特に東大合格者数の伸び率がすさまじい。神奈川県内に限らず、全国の公立高校で見ても東京の日比谷高校に次ぐ第二位の東大進学実績を誇る。 「翠嵐」という名称には、「山が緑で、吹く風が麗しい」といった意味があるようで、非常にエモーショナルでかっこいい漢語表現となっている。
湘南高校	東大：12 名→ 20 名→ 20 名 京大：7 名→ 7 名→ 8 名 早稲田：187 名→ 192 名 → 166 名 慶應：118 名→ 119 名→ 110 名	全盛期だった 1960 ～ 1980 年代頃には、毎年 50 ～ 80 名の東大合格者を輩出していたが、学区の細分化や私立中高一貫校の台頭によって、実績が落ち込んでしまっていると考えられる。しかしそれでも毎年 10 ～ 20 名程度の東大合格者を輩出しており、神奈川県屈指の名門校であることに変わりはない。 1956 ～ 2002 年の約 50 年間、埼玉の名門浦和高校と、「浦高戦」という部活の交流戦を行っていたが、2002 年に廃止。
柏陽高校	東大：3 名→ 6 名→ 1 名 京大：0 名→ 1 名→ 2 名 早稲田：107 名→ 95 名→ 103 名 慶應：56 名→ 47 名→ 35 名	横浜翠嵐、湘南と合わせて神奈川県の公立進学校御三家と言われており、全盛期の 1980 ～ 90 年代には年 10 名ほどの東大合格者を輩出する年も。近年同じ横浜市内の横浜翠嵐高校の台頭の影響か進学実績は大人しめだが、それでも毎年数名の東大合格者や、20 名ほどの東京一工合格者を輩出。 学校側の徹底したサポートのお陰か現役合格率は翠嵐や湘南と比較して高く、浪人の割合は学年の 2 割を切るのだとか。
慶應義塾高校 ※私立だが、高校受験からも多くの学生を受け入れているため紹介	※ 2022 年度卒業生数 724 名のうち慶應義塾大学に推薦された者 711 名。（その他の進路を選んだ者は 13 名）	慶應義塾内では大学とともに独立した一組織と位置づけられているが、実際は 90% 以上の卒業生が慶應義塾大学へ推薦入学しており、事実上の付属校と言える。 私立高校ではあるものの高校入試の募集定員は一般 330 名、推薦 40 名程度の計 370 名程度となっており、高校受験からの入学を広く受け入れている。 トヨタ自動車の社長として知られる豊田章男さんなど、経済界に多数の OB を輩出している。

※学校HP、受験と教育の情報サイト『Inter-edu』を元に作成

千葉県の高校入試概要

千葉県の進学校の特徴は、一部私立の中高一貫校が際立つものの、基本的には公立校が強い「公立王国」である点です。

千葉県立高校の入試制度の特徴として、以下の配点で合否を決める高校が多いことが挙げられます。

まず内申点は9科目合計で45点を3年分、45×3＝１３５点満点が配点となります。学力入試の点数は、一科目１００点の5教科分、１００×5＝５００点満点が配点となります。内申点の１３５点と、学力試験の５００点を合わせて、計６３５点で評価されます。

全体の点数に占める内申点の割合は、１３５／６３５＝21・3％なので、例えば愛知県のように内申点の割合が35％になるような他県と比べると、内申点の割合が低く、試験当日の結果が占める割合が大きくなっています。愛知県のように内申点が重視されるエリアでは、内申点でオール3、オール4といった成績を取ってしまうと、学力試験当日に満点を取っても最難関校に受からないといった事態も起こりますが、千葉県の配点比率であれば試験当日の結果で最難関校に逆転入学することも可能です。

千葉の代表的な名門公立高校

高校名	21～23年 大学合格実績一例（2021～2023・既卒含む）	寸評
県立千葉高校	東大：19名→19名→25名 京大：5名→7名→9名 早稲田：120→141名→126名 慶應：99名→121名→91名	2002年に私立の名門、渋谷教育学園幕張に抜かれるまでは、千葉県内の東大合格者数1位を誇っていた。2008年に千葉中学校を併設し、正式名称は「千葉県立中学校・高等学校」に。 中学併設理由について学校側は「進学実績を上げるためでなく、より自由で活発な環境を整えるため」としているが、東大合格者実績で抜かれてしまった渋幕などを意識していると思われる。
県立船橋高校	東大：14名→11名→12名 京大：9名→13名→5名 早稲田：157名→113名→145名 慶應：71名→68名→72名	千葉県内の進学実績では、県立千葉高校との二大巨頭として知られている。21年には、卒業生に対する国立大学への現役進学割合が43.1%で、千葉県内で第1位を獲得。 著名なOB・OGとしては、元内閣総理大臣の野田佳彦さん、芸能人のディーン・フジオカさん、劇団ひとりさんといった人々を輩出。特に内閣総理大臣を輩出した千葉県の高校は、県立船橋高校のみ。
東葛飾高校	東大：3名→9名→9名 京大：7名→3名→2名 早稲田：90名→120名→124名 慶應：42名→54名→44名	「東葛」（とうかつ）と呼ばれることが多く、県立千葉、県立船橋と並んで千葉県の公立御三家として知られている。 2016年に併設の中学校を開校し、正式名称は「県立東葛飾中学・高等学校」に。県立千葉に続いて、中高一貫の公立教育に乗り出した県内2番目の学校。
千葉東高校	東大：5名→2名→1名 京大：3名→2名→0名 千葉大：75名→47名→68名 早稲田：78名→50名→53名 慶應：43名→37名→29名	立地的に千葉大学に近いこともあり、千葉大学への進学実績が顕著な点が特徴。「千葉大学付属高校」と揶揄されることも。前身が高等女学校であるためか（?）、女子生徒の顔面偏差値が高いことでも知られており、著名なOGに女優の桐谷美玲さんや、タレントの小島瑠璃子さんらがいる。

※学校HP、受験と教育の情報サイト『Inter-edu』を元に作成

埼玉県の高校入試概要

東大や医学部に多数の合格者を出す進学実績トップ高校が公立校に偏っているという点が、埼玉県の進学校の特徴として挙げられます。

神奈川県では私立校優位だったりしますが、埼玉は公立優位の「公立王国」です。

また埼玉県の公立トップ校は男女別学の傾向があります。戦後の教育改革の後も、男子校・女子校を貫いた名門校が多数存在します。

入試方式に目を向けてみると、まず埼玉県の高校入試では学区による縛りがなく、県内どこからでも受験できる制度になっています。私の出身の愛知県では三河エリアと尾張エリアで受けられる高校に縛りがあったりしますが、埼玉県にはそういった制限がないため羨《うらや》ましいです。

また埼玉県の高校入試では二段階選抜が採用されています。第一選抜で募集定員の

60～80％、第二選抜で残りの20～40％が選抜されます。

第一選抜では学力検査と内申書・調査書の比率が4対6～6対4の範囲内になるように設定されます。

第二選抜では3対7～7対3の割合で設定されます。学力検査対内申点の比率は範囲内であれば各校が自由に設定できるため、試験当日の学力検査を重視するのか、普段の内申点を重視するのかの特色が表れます。難関校ほど学力試験の比率が高く、試験当日の結果を重視する傾向にあります。

学力試験においては応用的な「学校選択問題」を独自に出題する高校があるのも特徴です。2024年度入試を見ると、県立浦和高校、浦和第一女子高校、大宮高校、川越高校、春日部高校、浦和西高校、川口北高校など、名だたる県内の進学校が学校選択問題を取り入れています。

なお埼玉県では中学1～3年時の内申点が調査書に載るため、1年生の時から気が抜けない仕組みとなっています。

さらに埼玉県の高校入試を語る上で欠かせないのが「北辰テスト」です。北辰テストは県内の中学生が受験する模試で、中1で1回、中2で2回、中3で8回受験します。県立高校入試に向けた対策や自分の成績がどの位置にあるのかの把握に役立てられるのみならず、県内の私立高校は、この模試を用いて「合格確約」という特殊な制度を運用しています。

県内の私立高校は志望者向けに開催する「学校説明会」において、北辰テストと内申点の結果を参考に受験生のレベルを測り、基準に達していれば「合格」を入試前に「確約」するのです。

北辰テストを用いた合格基準には様々あり、「成績の良かった2回の偏差値を参考にする」ものや、「全てのテスト結果を参考にする」もの、「ある一定期間に受けたテストを参考にする」といったものがあります。この合格確約制度は県内トップの私立進学校である栄東高校でも採用されているメジャーな制度です。埼玉の私立高校を受験する際は、北辰テストの受験と、各校の学校説明会への参加が鍵になってくるといえそうです。

埼玉の代表的な名門公立高校

高校名	21 ～ 23 年大学合格実績一例（2021 ～ 2023・既卒含む）	寸評
県立浦和高校	東大：46名→27名→36名 京大：10名→21名→9名 早稲田：170名→120名→111名 慶應：102名→90名→67名	埼玉県内高校の東大合格者数といえば、基本的には浦和高校が毎年トップ。公立高校の累計東大合格者数も全国一位となっており、1980 年台のピーク時には年 60 名を超える東大合格者数を記録している。浪人率が高いことでも知られ、多い年には学年の半分以上が浪人する。部活動や学校行事が盛んで、浪人してでも難関校に受かった方がいいという風潮が理由のようだ。
大宮高校	東大：15名→10名→19名 京大：5名→5名→1名 早稲田：115名→108名→102名 慶應：49名→65名→59名	埼玉御三家唯一の共学校で、普通科と理数科に分かれているのが特徴。理数科の枠は 360 人中 40 人で、理数科に限っては県内で最も受かるのが難しいと言われている。文武両道の浦和高校などと比べると勉強重視のようで、学内で実績を残している部活は文化部が多い。
浦和第一女子高校	東大：6名→4名→6名 京大：3名→1名→2名 早稲田：66名→42名→50名 慶應：18名→15名→23名	通称「浦和一女」「イチジョ」などと呼ばれる県内最古の女子校で、県立浦和、大宮と合わせて「埼玉御三家」と呼ばれている。関東圏全体で見ても公立の女子校があるのは埼玉・栃木・群馬のみなので、かなり希少な存在。校風は文武両道というよりは勉強重視のようで、勉強のできる学生に合わせて授業が進むので、サボってしまうと大変との声も。
県立川越高校	東大：4名→1名→5名 京大：5名→4名→6名 早稲田：118名→72名→90名 慶應：51名→39名→41名	男子校で、通称は「川高（カワタカ）」。私服通学が認められているという特徴がある。校則が緩いようで、「下駄と麻雀と花札以外は校則がない」と言われるほど自由な校風となっている模様。有名ドラマ『ウォーターボーイズ』の舞台として知られ、「くすのき祭」には、一般高校の文化祭にもかかわらず 3 万人以上が来校したという伝説がある（2002 年）。
市立浦和高校	東大：4名→1名→7名 京大：1名→3名→2名 早稲田：79名→76名→83名 慶應：24名→34名→36名	さいたま市浦和区に所在する共学の中高一貫校で、旧制の浦和市立中学校と浦和市立高等女学校が 1950 年に統合され誕生。2007 年に併設のさいたま市立浦和中学校が開校し、中高一貫の公立中高となった。サッカー部がかなりの強豪で、全国制覇を 8 回成し遂げている（選手権 4 回、インターハイ 1 回、国体 3 回）。
春日部高校	東大：3名→1名→4名 京大：4名→0名→3名 早稲田：48名→49名→60名 慶應：42名→26名→42名	埼玉御三家に生徒が流れてしまったり、さいたま新都心が開発され生徒が流れてしまったりといった理由で、進学のピークは過ぎてしまった印象。近年入試倍率は低下傾向。通称は「カスコウ」で、明治創設で 2019 年に創立 120 周年を迎えた歴史ある男子校。理系に力を入れていて、スパーサイエンスハイスクールに指定されている。

※学校HP、受験と教育の情報サイト『Inter-edu』を元に作成

関西の高校入試概要

関西の進学高校の特徴は、兵庫県や奈良県の一部の私立を除くと、圧倒的に公立高校優位という点です。

関西には早慶クラスの私大がないため、高校受験をして公立進学校→京大、阪大、神戸大、大阪公立大といった国公立大学に進学するのが関西の優等生の王道ルートとなります。

こうした難関国公立に進学するには公立進学校で十分という風潮がありますが、京大や阪大、京都府立大などの医学部を狙う場合は中高一貫校の方が有利という現状があります（京大や阪大の医学部合格者のほとんどが中高一貫校出身）。

ただ、**ここ最近は中学受験ブームが関西エリアにも波及してきており、2023**

年度入試では関西2府4県で14年ぶりに受験率10％を超えています。大阪の公立進学校の文理学科が軒並み難化していることや、タワーマンションが次々と建設され小学生の人口増加が著しい大阪市の受験熱が過熱していることなどが要因のようです。

私立に目を向けてみると、灘、東大寺学園、甲陽学院、神戸女学院、西大和学園、大阪星光、洛南、洛星、四天王寺といった名門中高一貫校も揃っています。これらの中高は関東でいうところの御三家や新御三家クラスの難易度を誇り、灘に至っては東京の筑波大附属駒場と並び「日本で最も難関な学校」とも言われます。

さらに大阪府による高校授業料完全無償化制度が確立されたことも、中学受験熱をますます過熱させる要因だと言われています。本制度では、保護者の年収とは無関係に私立高校の授業料を年間63万円まで公費で補填し、超過分は学校側が負担するというものです。２０２６年度から全学年で適用されることが予定されています。

本制度により、大阪府から越境入学してくる人が多い兵庫県や奈良県の学校は割を食う形になるかもしれません。大阪の優秀層が新制度の恩恵にあずかり、府内の進学校を目指す傾向が強まっていくものと予想されます。

関西の代表的な名門公立高校

高校名	21 ～ 23 年大学合格実績一例（2021 ～ 2023・既卒含む）	寸評
北野高校	東大：13 名→ 14 名→ 11 名 京大：98 名→ 91 名→ 81 名 大阪大：55 名→ 62 名→ 52 名 同志社：242 名→ 193 名→ 166 名 立命館：164 名→ 134 名→ 142 名	大阪府を代表する公立進学校。「日本一の公立進学校は日比谷か横浜翠嵐か北野か」という議論が頻繁に交わされている。京大合格者数ランキング全国 1 位の常連であり、2020 年には 100 名の合格者を輩出。 施設も充実しており、蔵書数 8 万冊を誇る図書館や、「読書の森」と呼ばれる緑豊かな庭園がある。著名な出身者には、漫画家の手塚治虫さん、実業家の藤田田さん（日本マクドナルド創業者）、元大阪府知事の橋下徹さんなど。
堀川高校	東大：3 名→ 4 名→ 6 名 京大：48 名→ 41 名→ 44 名 大阪大：24 名→ 14 名→ 21 名 同志社：116 名→ 80 名→ 101 名 立命館：149 名→ 159 名→ 169 名	「探究科」と呼ばれる入学時から文系・理系に特化したコースを募集していることが特徴で、京都府全域から優秀な学生を集めている。探究科には人間探究科と自然探究科があり、定員は 160 名。 1999 年に普通科に加えて探究科を設置した際は、その年の入学生が卒業する年度に国公立大学現役合格者数が 6 名から 106 名に急増し、「堀川の奇跡」と呼ばれている。
奈良高校	東大：2 名→ 4 名→ 2 名 京大：38 名→ 31 名→ 21 名 大阪大：45 名→ 34 名→ 32 名 同志社：147 → 139 → 145 名 立命館：102 名→ 103 名→ 135 名	校風は「自主創造」で、校訓がないのが特徴。卒業生によるとスマホの扱いなど一部を除いて指導は少なく、自らの責任のもと自主性を重んじており、ピアスや化粧などにも寛容な模様。授業の進度は早く、落ちこぼれてしまうとついていくのが大変とのこと。学年の上位 3 分の 1 は京阪神といった難関国立大へ進学。 校章には「宝相華」（ほうそうげ）と呼ばれる天平文化を象徴する唐草模様が刻まれている。
神戸高校	東大：5 名→ 9 名→ 2 名 京大：27 名→ 25 名→ 29 名 大阪大：42 名→ 31 名→ 28 名 神戸大：47 名→ 52 名→ 41 名	歴史ある公立進学校の中でもとりわけ歴史が深い名門校。戦前は神戸一中と呼ばれ、東京府立一中（現：日比谷高校）、愛知一中（現：旭丘高校）と並び、「一中御三家」と呼ばれて全国から尊敬の眼差しを浴びていた。 2007 年より改編された「総合理学科」（定員 40 名）は特に入試難易度が高く、神戸高校の進学実績を牽引する存在。ノーベル文学賞候補の作家・村上春樹さんの出身校。

※学校HP、受験と教育の情報サイト『Inter-edu』を元に作成

■【首都圏・高校別　東大合格者数ランキング】

東京都

順位	高校名	人数
1位	開成	148名
2位	筑波大学附属駒場	87名
3位	麻布	79名
4位	桜蔭	72名
−	駒場東邦	72名
5位	日比谷	51名
6位	海城	43名
7位	渋谷教育学園渋谷	40名
8位	早稲田	39名
9位	豊島岡女子学園	30名
10位	筑波大学附属	29名

※2023年、既卒含む合格者数

（網掛け）…国公立
（白）…私立

※学校HP、受験と教育の情報サイト『Inter-edu』を元に作成

神奈川県

順位	高校名	人数
1位	聖光学院	78名※理三4名
2位	栄光学園	46名※理三1名
3位	横浜翠嵐	44名
4位	浅野	43名※理三1名
5位	洗足学園	22名
6位	湘南	20名
7位	市立南	11名※理三1名
8位	サレジオ学院	8名
9位	逗子開成	7名
10位	厚木	6名

※2023年、既卒含む合格者数

千葉県

順位	高校名	人数
1位	渋谷教育学園幕張	74名※理三2名
2位	県立千葉	25名
3位	市川	15名
4位	県立船橋	11名
5位	東葛飾	9名
6位	昭和学院秀英	8名
7位	東邦大付属東邦	5名
8位	佐倉	2名
9位	千葉東	1名
–	県立柏	1名
–	木更津	1名
–	長生	1名
–	市立銚子	1名
–	専修大松戸	1名
–	芝浦工大柏	1名
–	国府台女子学院	1名

※2023年、既卒含む合格者数

埼玉県

順位	高校名	人数
1位	県立浦和高校	36名
2位	大宮	19名※理三1名
3位	栄東	13名
4位	開智	8名
5位	市立浦和	7名
6位	浦和第一女子	6名
7位	県立川越	5名
8位	春日部	4名
9位	浦和明の星女子	3名
10位	川越女子	2名
–	立教新座	2名
–	川越東	2名
–	狭山ヶ丘	2名

※2023年、既卒含む合格者数

第5章

高校受験ルートで難関大学合格の実例【インタビュー】

この章では高校受験を経て難関大学に合格された方々に、学校生活の様子や受験の様子などをお聞きしていきます。著者の見解もつけているので参考にしてみてください。

事例① 日比谷高校を経て東京大学に進学されたMさん

2011年に都立日比谷高校を卒業後、東京大学に入学。現在は電通・博報堂といった大手広告代理店のグループ会社で働く社会人9年目の男性。

――まず小学校の頃からお聞きしていきたいのですが、中学受験はされなかったのでしょうか?
中学受験はせず、意識もしていなかったです。普通に地元の中学に進学しました。

小学校に上がった頃から『公文式』に通っていて、勉強は好きだったので、自分のペースで学年の範囲を飛び越えて勝手にやっていました。小学3年で中学範囲を勉強したりしていました。国数英に限って、その中でも数学の計算問題など、基本的な分野に限られてはいましたが、小学校時代から中学範囲の先取りをしていたことになります。

――親御さんの勉強方針はどのようなものでしたか?

両親ともに勉強は「きちんとやっておけ」という方針で、特に父親が熱心でした。『公文式』を見つけてきて、通ったらいいのではと勧めてくれたのも父親でした。教育パパ・ママという感じではないですが、目指せるものなら東大を目指そう、といった考えでした。
習い事についてはスイミングスクールに3ヶ月ほど通わされたくらいで、基本は習い事などは行かず伸び伸びと遊んでいる感じでした。

——中学は地元の公立中学に通われたとのことですが、どのような校風だったのでしょうか？

小学校時代から「この学区は荒れてるから気を付けた方がいいよ」と言われるくらい、治安が悪い中学校でした。バイクを乗り回している生徒がいたり、タバコを吸っている生徒がいたりして、警察が来ることもあるなど、いわゆるヤンキーがいる学校でした。

——典型的な「荒れた」中学だったのですね。Mさん自身はどのような中学生でしたか？

自分自身はバスケ部に入っていて、週5〜6でガッツリ部活をしていて、勉強メインというよりは部活や交友関係に明け暮れた中学時代だったと思います。

塾は『公文式』を中2まで続けていて、中3のゴールデンウィーク頃から『市進学院』に通って本格的に高校受験対策を始めるようになりました。高校受験対策を始める時期としては周りより遅かったと思います。
学校の授業は定期テスト前にちょろっと対策するくらいで点数が取れて、オール5という感じでした。

——最終的には都立日比谷高校に進学されると思うのですが、どういった経緯だったのでしょうか？

都立で一番偏差値が高いから、というミーハーな理由で日比谷を選びました。
高校受験を意識する前から、中学の教師に「君は日比谷とかへ行った方がいいんじゃないか」と言われるなど、なんとなく「日比谷」というワードは頭の中にあったので、志望校を決める時期になると校風などを調べていきました。自主自律を重んじていたり、学校行事が豊富だったり、東大合格者数が頭一つ飛び抜けていることに魅力を感じ、頭のいいと言われている日比谷に行こうと決めました。

――高校受験対策としては中3から過去問など解いていった感じでしょうか？

中3で対策を始めるようになって、まず中学範囲の全課程を復習し、応用問題や過去問題を解いていきました。『市進学院』では1週間ほど勉強の様子を見てもらったあと、講師から「一番上のクラスに来てくれ」と言われました。一番上のクラスでは筑駒だったり、開成だったり、日比谷を目指す人が集まっており、そういった上位校を意識した対策を受けていきました。

――中学校時代全体を通して、公立中学に通った感想を教えてください。

私立中に行っておけばよかったというような後悔はないです。公立中は「社会の縮図」などと言われますが、同級生の中には中卒で肉体労働の仕事に就く人がいたり、スポーツ推薦で体育大にいく人がいたり、まさに世の中の色んな人にあまねく関われたという印象を持っています。女子との交流もあり、部活に打ち込むこともできました。不良と言われる生徒とも結構仲良くさせてもらいました。

進学の割合としては、学年から1~2人が日比谷のような最難関校に進み、上位10%が偏差値60くらいの高校に進んでおり、大多数は地元の偏差値50くらいの高校に行ったので、まさに都内「偏差値」の分布通りの進学状況だったと思います。


――日比谷高校の校風について教えてください。


私が在籍していた12~13年前の話ですが、自主性を重んじている側面が強かったです。行事では生徒が主体になって、文化祭でどういった演劇をするのか、キャスティングをどうするのかといった運営をします。運動会や合唱祭も生徒がリードして盛んに行っていました。

部活に関しても同様で、高3の冬まで現役で、そこから受験にコミットして国公立大に進む人がいるなど、リーダーシップを発揮して自分で進めていくという校風が強かったです。

勉強に関しては「東大至上主義」のようなところがあり、入学当初から東大・国公立大を目指していけというような話が教員からもあって、そのための課題や特別授業が手厚く行われていました。2011年卒の代は東大合格が20人くらいの代だったので、学年全員が東大やそれに準ずる国立大に行けるわけではなく、学年のトップ50番以内くらいに入ると東大や医学部を目指せるというのが実態でした。ボリュームゾーンは早稲田や慶應に進学していました。

――大学受験に向けた勉強はどのようにされていましたか?

大学受験対策は独学でしていました。予備校などには通わず現役で大学に受かったことになります。高校での対策が手厚かったので、課題や、薦められた王道の参考書などに沿って計画して進めていました。『Z会』の通信講座のみ補強として使っていて、月々1科目数千円だったと思います。

高校1年の時は部活でラグビーをやっていて、ほぼ部活漬けの毎日だったので、受験に関しては毎週行われていた小試験や、定期試験の前にちょっと対策をしていたくらいでした。一学年330人くらいいるのですが、高1の時は80位くらいでした。

高2で家庭の都合もあり部活はやめて、平日は3時間くらい、休日は3～4時間くらい勉強するようになり、学年10位に入れるようになりました。高2の夏くらいだったと思いますが、学年10位に入ったことで「東大目指せるじゃん」と意識するようになりました。

――塾に重課金しなくても東大に受かる事例もあるんですね。

自分自身は、中学受験をしていたら東大に受かったかと言われると、そんなことはないと思います。地頭もよくないですし、やるべきことを淡々と、計画をもって毎日やっていたら受かったというパターンだと思っています。
東大受験の点数の開示を見ても、一科目がずば抜けてできているということはなく、満遍なくどの科目も取れていたという結果で、凡人が普通に積み上げて受かったロールモデルではないでしょうか。自分の代で東大に進学した日比谷生は20名ほどでしたが、その20名は割と塾に課金せず、独学で勉強していた印象です。
東大全体では名門私立中高一貫校出身者や、「駿台のお茶の水校出身です」というような、名門の予備校出身者が多かったと思います。

――ご自身の養育費を振りかえるとどのくらい課金されていたのでしょうか？

塾に関しては、小学校時代からの公文式の費用が一科目6000円ほどだったので、国数英の3科目で月々1万8000～2万円弱くらいでした。年間で25万円ほど、通っていた5年間で125万円ほどだったと思います。
中3の5月から通い始めた市進学院の月謝は月に3～5万ほど、受験直前期になると特別講習などもあるため7万円ほどと聞いていましたが、年間を通しても50万円くらいだったと思います。
高校はZ会の通信だけなので月数千円ほどで、あとは教科書代がかかったくらいだと思います。あと東大の学費については、家庭が困窮していたため学費免除で0円で通っていました。

――小学校時代から国数英の先取りをされていたのが印象的でしたが、先取りは有効なのでしょうか？

特に英語は早い段階からやっておいた方がいいと思いますし、受験云々の前に人として早期の語学教育は将来役に立つと思います。私は在日なのですが、10歳の時に1年間中国に帰った際、ほとんど中国語を話せなかった状態から、現地の小学校に入って、1年間でほぼネイティブレベルまで中国語を話せるようになりました。
就職してからも中国語を使った業務などに携われているので、小学校時代に言語をマスターしておく、ネイティブの環境に触れておく、というのはとても重要だと思います。周りがネイティブな環境で過ごすとか、留学に行くというのは、中学受験するよりも大切な経験だと思います。

――ご自身のお子さんができたらどういった受験コースを歩ませようと考えていますか？

自身は結果的に低コストで東大まで入っていますが、子供にコスパは求めないと思います。経済状況的に困っているという感じでもないですし、子供自身が中学受験をして私立中高に行きたければ行かせてやりたいと思います。

強制するものではないと思いますが、早期の英語学習や留学を含め、子供にはしっかり投資したいと考えています。

ただ、小学校から塾に通いつめ、中高男子校に入って、みたいなコースはやはり偏ってしまうのではないかという心配があります。

――東大に入られてみて、公立の日比谷出身者と、私立の中高男子校出身者の違いのようなものは感じましたか？

特に対人関係やコミュ力という点で違いは感じました。

公立校出身者は部活などにもバランスよく打ち込んできた印象ですし、私立校出身者も当然東大となれば部活の成績も良かったりと多方面に優秀なのですが、男子校出身者になるとやはり「対女性」の側面で全然慣れておらず、いわゆる「青春コンプ」のようなものを抱えている人が多かったように思います。

自身の子供にそういった異性関係のコンプレックスのようなものは抱かせたくないという思いはあります。気づいたら自然と周りに人が寄ってくるコミュ力的なものは、勉強の偏差値より大事だと思うので、子供にもそういった能力を身につけてほしいです。

じゅそうけんの見解

Mさんは大変爽やかな印象で、受け答えも非常に完結でわかりやすく、さすがは最大手日系企業の社員さんだなと感じさせられました。

Mさんのケースでもそうでしたが、公立高校経由で東大に合格した人の多くが小学校時代に『公文式』を習っていた傾向があるように感じます。

小学3年生で中学範囲を勉強していたともおっしゃっており、中学受験をしなかったとはいえ小学生時点で相当先の学習内容まで進んでいたことがわかります。

公文式を利用した「ゲーム感覚での先取り学習」は、実は後々かなり効いてくる気がします。高校時代に予備校なしで東大に合格したのも、間違いなく「公文の下地」があったからだと考えられます。


東大入学後に対人関係の面において名門男子校出身者との違いを感じたという話も興味深かったです。やはり、共学の公立進学校で女子生徒と一緒に行事や勉強を乗り越えてきた彼らと男子校出身者とでは、異性への免疫に違いがあるのは当然でしょう。ちなみに「男子校出身者は共学出身者と比べて未婚率が高い」というデータも出ており、受験生の親御さんもこうした事実を踏まえた上で、慎重に学校選びをする必要があると改めて感じました。

事例②　旭丘高校を経て東京大学に進学されたＫ・Ｋさん

愛知県名古屋市にある名門旭丘高校を卒業後、東京大学に進学。現在は東京大学文科Ⅱ類３年生で、外資金融や外資コンサル業界を中心に就職活動に取り組んでいる。

――まず小学校時代についてお聞きしたいのですが、中学受験はされなかったのでしょうか？

私の育った愛知県、特に名古屋市は「公立王国」と呼ばれるほど公立校が主流という背景があります。そのため中学受験はそもそも念頭にありませんでした。中学受験となると東海中高が選択肢に入るかな、くらいだと思います。親も自分も、当然のように地元の中学に進み、公立高校に進むと思っていました。

――小学生時代は塾などには行かれていなかったのでしょうか？

愛知県には『佐鳴予備校』という有名な塾があるのですが、そこに小5から通っていました。授業の先取りがメインです。そこから大学受験までずっと佐鳴予備校に通うことになります。もう一つ大手塾に『サンライズ』があるのですが、佐鳴予備校の方が詰め込み型ではなく授業が面白い印象で、自分に合っていたと思います。週2回通っていました。

――親御さんの勉強方針はどんな感じだったのでしょうか？

母親は保育士ですし、ガチガチの受験経歴というわけでもないので、「やりたければやればいいんじゃない？」といったスタンスでした。プレッシャーをかけても仕方ないという考えだったと思います。
父親は中途で銀行員になっており、勉強については平均点を割ったらさすがにまずいし、大学には行ってほしいと思っていたようですが、あれをやれこれをやれと言ってくるようなことはありませんでした。

――習い事などはされていたのでしょうか？

サッカー、テニス、水泳など、運動系を色々やっていたのですが、一つも芽が出なかったです（笑）。中学で始めた卓球で初めていい成績を収めることができました。小5くらいで「俺、運動に向いてないな」と気づき、勉強にステータスを振った方がいいなと考え、塾に通い始めたというのはあります。

――小学生ながらに自身の適性について理解していたのですね。その後中学は地元の公立中学校に進まれたということですが、校風などはどんな様子だったのでしょうか？

中学は地元の神丘中学校に進んだのですが、勉強のレベルは高めでした。というのも近くに綺麗めのマンションが多くあり、それを買うような家庭は教育にも力を入れがちなので、まともというか優秀な生徒が多かったと思います。
一つの中学から旭丘高校に5人ほど受かればすごい方ですが、神丘中からは15人以上受かっていました。大学進学も当たり前と捉えている人が多く、進学実績も高い中学校なので、実質私立中と変わらないような民度だったと思います。

——中学生時代の成績はいかがでしたか？

テストは学年で10番前後でした。通知表は40／45で、旭丘に進学する人の中ではかなり低い方だったと思います。旭丘に合格する人の内申点は43／45くらいがボーダーになるので、学力試験当日の点数でねじ伏せるしかない状況でした。

——さすが旭丘高校のレベルの高さですね。高校入試当日はどれくらい点数を取ったのでしょうか？

当日はたしか105／110点だったと思います。5教科の得点率は95・5％で、数学、社会、理科は満点でした。国語と英語で何かミスした気がしましたが、当日の点数で内申点のビハインドを覆しました。自分の内申点の低さでは、当日100／110点でも落ちているボーダーだったと思います。

――高校受験対策について、塾ではどんな対策をしていたのでしょうか？

中1、中2で先取り学習をしていき、中3のラスト1年は類題の特訓に充てられました。難しい問題が出てもいいように、発展問題も扱われていました。夏合宿というイベントにも参加し、そこで過ごした人と旭丘高校に入って再会したりもしましたね。塾には週2～3回通っていました。

――中学校の部活などはどんな様子だったのでしょうか？

死ぬほど卓球をやっていました。平日は毎日3時間、休日は10時間練習するといった感じで、東海大会3位までいきました。

毎朝7時に起きて朝練に行き、学校が終わってから3時間練習した後に30分で支度を済ませ、20~22時まで塾で勉強するという日々を過ごしていました。中学生の体力だからできたスケジュールだったと思います。


――内申点でビハインドというお話でしたが、高校受験を控えた方にアドバイスなどありますか?


自分の場合5教科はオール5でしたが、副教科で全く5が取れませんでした。勉強にステータスを振った人間によくある話かと思いますが、学力試験当日の5教科の点数でカバーするしかないと思います。

公立高校の試験問題について言えば、難問・奇問といわれるような特殊な問題は扱われないので、王道の勉強をしていけば比例して点数も伸びていくイメージです。

中学受験では算数の補助線に気づかないとアウトといったような地頭・発想力勝負の側面がありますが、高校受験では解き方が確立された問題が多いので、演習量で伸びると思います。

また中学受験を受けるのは12歳頃なので、親が主体になって暴走してしまうパターンも聞きますが、高校受験は15歳頃なので、自分主体で動けます。ですから自分のやる気次第で伸びると思います。

――旭丘高校の進学実績や校風はどんな感じだったのでしょうか?

まず進学実績としては、東大30人、京大30人、医学部30人といったレベル感です。地元に残るというよりは、浪人してでも東大・京大・医学部を目指そうといった風潮があり、学年の半分くらいが浪人します。全国でトップクラスに浪人率が高い高校として知られています。

校風は自由でした。ハロウイーンの仮装が盛んだったりいい面もありますが、課題が少なく部活や趣味など好きなことに打ち込めばいいという感じなので、塾に行かず学校の授業だけでは浪人してしまうと思います。

――公立高校でよく言われる「バランスのいい学生」は多かったですか？

人間的にバランスの取れた、安定した人が多かったと思います。中学時代の内申点も高いということで、問題を起こすような人もあまりいませんでした。どちらかというと、先生に好かれやすいタイプが多かったですね。
私立中高出身者にいがちな、数学だけものすごくできるけどコミュ力が著しく欠如している、というような人は公立高校の入試を突破できないと思います。

――ご自身の大学受験について教えてください。

浪人はしたくないと考えていたので、高1から塾に通い始めました。中学時代から変わらず『佐鳴予備校』でしたが、集団から個別に変更し、映像授業で一気に先取りしました。
数学は高1で2Bまで終わりました。英語もかなり進めたと思います。

大学受験では志望校を意識した段階で、どんどん塾に通った方がいいと思います。先取りができるのと、例えば東大文系では社会2科目必要なのですが、地方の高校では1科目しかやっていなかったりするので、塾で補う必要が出てきます。

──受験結果はいかがでしたか？

センター試験は793／900点で、9割弱でした。東大受験者としてはボーダー層で、二次試験で取り返す必要がありました。東大二次試験では数学は微妙な手応えでしたが採点が甘めで耐え、国語や日本史で取り返してボーダーを超えたという印象でした。東大受験では「この科目で勝負」ではなく、満遍なく全教科できる方がいいと思います。

――最後に「中学受験より英語・数学を先取りすべき」という意見についてどう思いますか？

ありだと思います。英語については小・中学校の段階で高校内容のものに先に触れてしまっていいと思います。特に5文型など高校で習う知識がないと、中学レベルもガタガタになってしまうと思うからです。数学もどんどん進めていって構わないと思います。

――ご自身にお子さんができた際は、中学受験・高校受験についてはどのようにさせたいと考えていますか？

この後就活がうまくいって世帯年収にも余裕があるという仮定のもとですが、自分は東京在住であれば中学受験をさせるのではないかなと思っています。
というのも、自分は教師に好かれて副教科の内申点を取りに行くのが得意というタイプではなく、40／45点がギリギリという感じだったので、もし自分と同じような性質を持った子であれば、高校受験より中学受験の方が向いていると思うからです。

特に都立高校入試は女子に有利だと思うので、男子であればなおさら中学受験かなと思います。あくまで自分と同じような性格という仮定なので、子供の特性を見ながらの判断になると思います。

じゅそうけんの見解

受け答えもしっかりしていて、公立中高出身者らしいバランスの取れた方なんだなという印象を持ちました。決して「数学だけできるチー牛」という雰囲気はなく、就活も成功させて大手で活躍されるのだろうと感じました。公立中高から優秀な大学に進学する層は、人間としてバランスが取れているので、社会に溶け込めずワーキングプア層に転落するといったことも少ないのではないかと思います。

また現役で東大に進学されていますが、彼の学校歴・塾歴を見ると、小学5年生から塾に入っているのが特徴的です。中学受験はしていないにせよ、早い段階から塾に通い、先取りや演習を進めていった点が、公立中高出身ながら現役で東大に合格できる要因の一つだったと思います。

最後に彼自身は公立中高出身者でありながら、子供には中学受験をさせるであろうと語っていたのも印象的でした。彼自身、公立中学の内申点に悩まされた過去があり、その結果バランスのいい人間としての成熟につながってはいるものの、定量的に必ずしも正しいとはいえない「内申点」への疑問を感じている点が興味深かったです。

事例③　湘南高校を経て浜松医科大学へ進学されたMさん

神奈川県の公立小中学校を卒業後、神奈川県の名門湘南高校に進学。浜松医科大学を出て現在は研修医２年目として勤務している。

――よろしくお願いします。まず小学校時代なのですが、中学受験は選択肢にならなかったのでしょうか？
通っていた小学校は一学年１００人いかないくらいの小規模な学校でしたが、その中で５人が中学受験するかどうかといった割合でした。自分自身は親から受験を勧められることもなく、特に何も考えず公立の中学校に進学しました。

――ご自身はどのような小学生だったのでしょうか？

平日は小学校に通って、終わったら帰ってきて遊んでという普通の子供でした。横浜F・マリノスが運営する誰でも入れるサッカーチームに数年間通っていましたが、その後は学校で運営するサッカーチームに所属していて、競技レベルがめちゃくちゃ高いというわけではありませんでした。

――小学校時代の勉強や成績について教えてください。

基本は学校の授業を受けて、成績は普通に取れていたと記憶しています。塾には行かず、『はつらつパル』という通信教育をやっていました。途中で『こどもちゃれんじ』をやっていた気もします。学校以外では宿題をするか、サッカーをするか、通信教育をするかという感じで、それ以外の日は普通に遊んでいました。

――通っていた公立中学校の校風はどのようでしたか？

進学高校に進んでから振り返ってみると、たしかに学力レベルがそこまで高くなかった印象ですが、自分自身も勉強をするために学校に行っていたわけではなく、高校に進んでからでは出会えないような様々な職業に就く人に出会えたので、いい経験だったと思います。
自宅近くのよく遊んでいた友達でいえば、家系としてずっと農業をしている人がいたり、土木関係の現場監督や職人をしている人も多かったです。大学進学後にベンチャー企業で働く人もいました。

――ご自身の中学時代の成績はどのようだったのでしょうか？

受験に使う最後の内申点の時期にはオール5をもらっていた記憶があります。周りがそんなに熱心に勉強する感じでもなかったため、内申点の評価はかなり甘かったと思います。宿題を出してテストでそこそこの点数を取れば基本的に5が付くといった環境でした。
私には一卵性の双子がいるのですが、その兄弟に負けないよう競争心で勉強していました。音楽が苦手だったのですが、最低限の課題とスキルで頑張って、最後は高評価を付けてもらっていたという感じです。

――高校受験対策としてはどのようなことをされていたのでしょうか？

中学生の時に『湘南ゼミナール』という集団塾に入りました。双子の兄弟と通っていたのですが、塾の先生から「君たち2人ならもう少しレベルの高いところに行ける」と言われ、『湘ゼミアルファ』という県内トップ公立高校や学芸大附属、慶應義塾、早稲田実業といった難関高校を目指すコースに中3の夏から入りました。『湘ゼミアルファ』は授業をして課題が出されてという一般的な集団塾で、「47都道府県の県立高校入試」がまとまった問題集が別に配られた記憶があります。
結局、県立高校入試で湘南高校に受かったので進学することになりました。

――周りで中学受験経験者もいたとのことですが、中学受験についてはどのように考えていますか？

大学受験も終え、様々な試験を終えて研修医となった今となっては特に中学受験しなくてよかったと思っていますが、高校受験当時の不安な状態では、早くから受験を経験していた中学受験組に憧れもありました。
ただ、自分に子供ができたり、子供を持つ人にアドバイスしたりする際も中学受験は勧めないと思います。結局勉強は自分でやるかどうかですし、本人の希望次第だとは思いますが、公立の小中高というルートを歩ませると思いますね。公立の学校で出会った様々な人との交流によって、今のフレキシブルな人生観のようなものが形成されていると考えているからです。

——湘南高校の校風について教えてください。

多少学力を犠牲にする側面があるくらい学校行事が盛んなことが特徴です。個人的には全国トップクラスの力の入れようだと思います。中でもメインは体育祭で、1年間かけて準備して作りあげた経験は、人生の中でもプラスのエネルギーになる経験だったと思います。具体的には1〜3年生が各40人くらいずつ、計120名ほどで演じるミュージカルがあるのですが、舞台設備から小道具、そして演出まで、全て自分たちで作りあげます。人気の役職は選挙があるなど、組織の構成から行う本格的なものです。

校風としては「三兎を追ってしまえ」というくらい、勉強・部活・行事など色々なこと全てに全力を捧《ささ》げようという雰囲気がありました。

——ご自身の学校生活はどのようだったのでしょうか?

中学までサッカーを続けて、高校からラグビー部に入りました。私が湘南高校に入った理由は、学校行事を極めたいという思いが大きかったのですが、ラグビー部は体育祭の仮装班のリーダーを務めるなど、体育祭の中でも主要な役目を担っていたんです。学校行事に真剣に取り組むため、また新しい競技をしてみたいという気持ちもありました。

――Mさんは最終的に医学部に進学されていますが、勉強面はどのようだったのでしょうか？

高1～2は、中学から通っていた『湘南ゼミナール』にそのまま通っていました。学校の校内順位が良かったり、駿台模試で上位に入ると学費免除という特待制度があり、その対象に入っていました。
ただ部活動や学校行事に熱心になるあまり、段々とそこまでの成績が取れなくなって、高3からは普通に『駿台』に通い始めました。予備校形式の集団授業で、理系の評判が良かったのと、部活のオフの日と日程が合ったため選んだ感じです。土日が部活で行けない日も、２週間以内であれば５００円払って映像で見返せるといった制度がありました。

――浜松医科大に受かった経緯はどのようなものでしたか？

推薦入試で受かりました。当初は横浜市立大の医学部を狙っていたのですが、センター試験までに思ったほど点数が伸びなかったのと、浜松医科大学の推薦を狙う人が校内にいなかったこともあって、推薦の枠を使って浜医に出願してみることにしたんです。前期後期試験の前にチャンスが一度増えるならという思いもありましたね。

受験制度としてはセンター試験、面接、小論文、独自試験で合否が決まる仕組みでした。結局センター試験次第なところはあり、横市や医科歯科や千葉などに比べるとマイナス５％くらいの得点率でも戦える感じでした。具体的には全教科で85％くらいがボーダーになると思います。

――英語数学などの先取り学習についてはどう考えますか？

小学校段階では、少し英語に触れるくらいで、「こんな言語があるんだー」くらいなら賛成ですが、ガッツリ先取りする必要はないと思います。
私は学生時代に『河合塾マナビス』の仕事をしていたのですが、そこに来る生徒の様子を見ていると、英語の読解も最後は国語力になると感じました。ですから「何々が原因でこうなる」といった論理的思考力のようなものは、英語力とは関係ないため、幼少期から英語だけを極めようとしてもつまずいてしまうのではないかと思います。国語や算数の論理的思考力のような学力を、まずは母国語で積み上げていくのが有効だと個人的には考えます。

――医学部受験について、幼少期から目指すならどういう方針を立てますか？

まず浜松医科大学の話でいえば、静岡高校、浜松北高校、富士高校といった公立校出身者が多いという印象です。首都圏だとまた変わるのかもしれませんが、地方の医学部の場合必ずしも中高一貫校に行くことがマストという感じではありません。

それに中学については様々な家庭環境の生徒と交流できる公立中を経験した方がいいし、高校では学校行事など含めやりたいことをやるのがいいと思います。

その上で医学部を目指すなら高3から本腰を入れて勉強していくのがいいと個人的には思います。私立であろうと公立であろうと、最後は環境ではなく勉強する自分の意志が大切だと思います。

なお私自身は体育祭のリーダーや、ラグビー部の活動で高3の10月頃まで勉強に専念できませんでしたが、それらの活動が終わってからは睡眠時間も削って、昼寝もせず根気強く勉強しました。勉強以外に力を入れた場合、伸び代はあるものの伸ばすには最後の期間に根気や体力が必要になると思います。

浜医で周りを見た印象としては、高2の時期や高3の春に部活を引退して、という人が多かったので、一般論としてはそのくらいの時期に勉強にシフトすべきなのかもしれません。

じゅそうけんの見解

Ｍさんはリア充系の校風で有名な湘南高校で部活も学校行事も勉強も全力でこなした「ザ・公立進学校生」という感じですね。トップ公立進学校で行事にも部活にも全力投球していた生徒は浪人してしまうことも多いのですが、Ｍさんの場合現役で国立医学部に進学しており、絵に描いたような公立ルートの成功パターンではないでしょうか。

Ｍさんの場合、身近に自分より少しだけ成績の良い双子の兄弟という良きライバルに恵まれており、それが高校受験でも大学受験でもプラスに働いたのだと考えられます。特に競争好きの男子はライバルの存在によってモチベーションが大きく変わったりするので、塾や学校で良きライバルを見つけることはすごく大事なことだと思います。

地方の国立医学部は公立進学校出身者が多いというのはその通りで、こちらはデータにも表れています。医学部に入りたいなら中高一貫だと思われている方も多いですが、最難関クラス（医科歯科や千葉）でなければ公立出身者であっても十分戦えるでしょう。

事例④　慶應志木高校を経て慶應法学部へ進学されたNさん

公立の小中学校から、高校受験で慶應志木高校に進学。内部進学で慶應義塾大学法学部へ進学し、在学中に予備試験に合格。大学卒業後に司法試験に合格し、現在は弁護士として勤務している。

――よろしくお願いします。まずNさんの受験歴について聞かせてください。

中学受験は一応したのですが、なあなあだったため大した成果が出ず、地元の公立中学に通うことになりました。
高校受験では近隣の公立トップ校も見ていたのですが落ちてしまい、慶應に内部進学できるなら悪くないと思って受けた慶應志木高校に合格して進学したという経緯です。好みの問題で早稲田は受けませんでした。

大学3年次に先輩の勧めもあって弁護士を志すようになり、大学4年の時に予備試験というロースクールに通わなくても司法試験を受けられる試験に受かりました。大学卒業後すぐに司法試験に合格しています。

――中学受験をしたとのことですが、それは親御さんの意向だったのでしょうか？

親の強制のようなものは一切ありませんでした。友達に誘われて面白そうと思ったのがきっかけで、4年生の頃に中学受験対策の『日能研』に通い出したのですが、1年弱くらいで嫌になって通わなくなってしまいました。6年生になって周りに中学受験対策をする人も増えてきたタイミングでまたやる気になって『明光義塾』に通うようになりました。親の方針としては「中学受験したければすればいい」という程度のもので、自分自身でぐだぐだと塾に通って受験した感じでした。
第一志望はサレジオ学院だったと記憶しており、他に受けた学校は覚えていませんが、全て落ちてしまいました。

――自身で受験するくらいなので、小学校時代から勉強が好きな子供だったのでしょうか？

そんなに勉強熱心だった記憶もなく、『日能研』でもあまり勉強せず、基本は友達と外で遊んでいたと思います。6年生の時はさすがに少し勉強していました。学校の成績は普通に取れていましたが、とりわけ優等生というタイプでもありませんでした。


――公立中学に進まれたとのことですが、校風などはどのようだったのでしょうか？

「公立中学校」のイメージ通りで、勉強を極めてどうこうといったことはなかったですし、卒業生は定時制高校に行く人から最終的に東大へ行く人まで様々でした。

規模の大きい中学で、学区内の3〜4校の小学校から生徒が集まっており、中学生になると学力の格差のようなものもより明らかになってきたので、テストの点数差などから「社会の縮図」を経験したと思います。様々な学力レベルの人と接するというのは私立小中では経験できないことなので、個人的にはプラスだったと思います。

――ご自身の成績はどのようだったのでしょうか？

成績は学校にちゃんと通っていなかったこともあり、あまりよくありませんでした。中学2年の時は内申点の45点満点のうち、20何点かだったと思います。中学3年の時は30点代前半くらい取っていた気はします。

主要5教科の方がテストで内申点を稼ぎやすいと言われていますが、提出物の評価などもあったので、5が確約された感じでもなかったです。部活は軟式テニス部に所属していたのですが、ほとんど活動に参加しておらず、ほぼ帰宅部という感じでした。

――最終的に慶應志木高校に進学されるということですが、受験対策はどのようにされていましたか？

中学1年の時から『早稲田アカデミー』に通っており、途中通わなくなってしまった時期もあったものの、ずっと『早稲アカ』で対策していました。塾のカリキュラム通りに勉強を進めていました。
中3の夏までに全範囲を終わらせ、夏以降過去問など実戦的な対策をしていたと記憶しています。塾の先生には、私立高校とはいえ慶應は内申点も見るから厳しいと言われていましたが、好み的になんとなく早稲田は受ける気にならず、慶應義塾高校と慶應志木高校を受けました。私立高校なので公立高校みたいに内申点が配点にはなっておらず、どこまで内申点を見ているのかはわかりませんでした。

――慶應の系列である慶應志木高校を選んだのは、大学受験をしなくてよくなるといった受験戦略があったのでしょうか？

たしかに内申点が低くても私立高校受験ならあまり関係ありませんし、慶應志木高校であれば大学まで内部進学できるというメリットがあります。
ただ、受験時は慶應に絞った訳ではなく、神奈川に住んでいたので公立高校は湘南高校を受験しましたし、受かったら湘南高校に進学して大学受験をしていたと思います。しかし内申点が良くなかったこともあり湘南高校には落ちてしまったので、慶應志木高校に進学したという流れですね。

――中学時代の内申点について、これから受験を迎える人にアドバイスなどはありますか？

内申点が高いに越したことはなく、取るための努力はすべきですが、内申点を取るのに向いていない子供に強制しても果たして取れるようになるのかは疑問です。内申点が無理でもペーパーテストができるという強みがあるなら、あえて矯正する必要もなく、ペーパーテストの能力を伸ばして入れる私立高校などに進学するのがいいと思います。実際に私は内申点が低くても慶應に拾ってもらっています。
ただ、公立高校受験の際にここまで内申点が重要ということは中1〜2の段階で意識していなかったので、自分のように「内申点は大事」と知らずに落ちてしまうのはもったいないと思います。これは中3の夏以降の受験期になってから取り戻せるものではないので、これから中学生になる学生やその親御さんには、内申点が大事とわかった上で学生生活を送ってほしいです。

――高校時代に移りまして、慶應志木高校全体の大学進学についてはどのような様子なのでしょうか？

95％くらい、ほとんどが慶應義塾大学に内部進学します。医学部に行きたい人などごく一部が外部の大学を受験することもあります。これには理由があって、内部進学で慶應医学部に進学できる枠は7名くらいと少ないためです。選択科目の様子や学内の噂などで、誰が医学部志望かなんとなくわかるようになるのですが、その中でトップ7名に入っていない人は、内部進学で医学部に行けないと察して、外部受験の準備を進めるんです。
内部進学の評価は大学受験のペーパーテストとは違い、例えば国語で村上春樹やジブリを題材にした問題に答えることを求められるなど、学力試験とはまた違った素養が求められるので、内申点を取って医学部に進学する人は正攻法が通じず大変そうだなと思っていました。

――一般的な学生の勉強のモチベーションはどんな感じなのでしょうか？

慶應の希望の学部に行くために頑張って勉強しようというような人はほぼいなくて、留年さえしなければいいという人が大半だったと思います。純粋に賢い人も多いので、授業を真面目に受けて定期試験で高得点を取って、という層も一定数いました。大学受験を見据えた高校生のように、明確な目標があってガリガリ勉強するみたいな人は、医学部志望以外の人ではおらず、全体的に緩い雰囲気だったと思います。


――部活動や学校行事など、校風はどんな感じだったのでしょうか？

基本的には緩くて自由な校風だったと思います。自分はかなり学校を休んだ方でしたが、定期テストさえ得点していればそれなりに成績が取れて、特に注意されることもなかったです。文化祭についても参加しようがしまいが特に何か言われることはありませんでした。

大学受験がないので、ラグビー部で部活に打ち込むなど、がっつり体育会系という層も一定数いました。イメージは大学に近い感じで、年間300時間までは休んでしまっても進級できるようになっていて、自分は280時間くらい休んでしまいましたが特に問題なく進級し大学へ進学しています。勉強したい人はできるし、部活に打ち込むこともできるし、学校に行かなくなってしまっても試験で救済してもらえるような自由な校風でした。

――中学受験の是非についてどのように考えていますか？

自分自身は曖昧に中学受験対策をして曖昧に受験しましたが、受験したこと自体はよかったと考えています。合格していないので意味がないように見えますが、目的なくだらだらと勉強するよりは、中学受験のためというゴールを見据えて勉強したことで学力向上に良い効果があったと考えています。高校受験の際にも、中学受験に向けて鍛えた地頭のようなものが発揮されていたと感じます。

中学受験の対策をするくらいなら高校受験対策を見据えて先取りしていってもいい

ですが、「試験のため」という切迫感がないと身にならない気もします。自身に子供ができたら、中学受験対策はさせるけど、受験するかどうかや、受験の結果自体にはこだわらないという方針を取ると思います。

――先取り学習についてはどのように考えていますか？

私立高校は英数国の3科目受験が基本ですが、早慶対策の塾での様子などを思い出してみても、帰国子女など英語が得意な人は英語が得点源になり、安定して成績上位にいた印象です。英語はできる人とできない人の差が開きやすい科目だと思うので、受験期になる前から早めにできるようになっている人は有利だと思います。英語に関しては特に早めに対策できる人はするに越したことはないという印象です。

じゅそうけんの見解

Nさんは私と同じく、中学校で内申点が取れなかった「ペーパーテスト一辺倒タイプ」でしたが、見事高校受験で難関校合格を勝ち取りました。

首都圏の高校受験の良いところは、今回の慶應付属のように、内申点が悪くてもペーパーテストが抜群にできれば突破口が開けるところではないでしょうか（私立進学校が少ない地方では内申点が取れないと公立進学校への道が閉ざされ、だいぶ詰んでしまいます）。そのため、首都圏では内申点が取れないタイプは私立に照準を合わせて対策するといったことが可能になります。

それからNさんは、「高校受験で結果を出せたのは、小学校時代から勉強していたから」と述べています。結局公立中に進んだものの、小学校時代の中学受験のための学習で「地頭」が鍛えられたとも話しています。高校受験で早慶付属などの最難関クラスを狙うのであれば、やはり早期からの勉強の積み上げが大切なのだと感じました。

「目の前の試験のため」という切迫感が勉強の原動力となるという主張も一理あると思いました。たしかに、小学校時代から高校受験を見据えて学習を進めていくというのはどうしても切迫感とは程遠くなってしまいがちです。そのため、ペースメーカーとして英検などの資格試験や何らかのイベントを親や先生側が用意する必要があると感じました。

巻末付録

X（旧Twitter）おすすめアカウント紹介

「東京高校受験主義」 @tokyokojuken
「中学受験しなくて大丈夫。東京には最強の高校受験がある」をモットーに、高校受験関連の情報発信をするインフルエンサー。中の人は現役の高校受験塾講師で、都内での高校受験指導を通して得たリアルな教育現場の情報が人気の理由。高校受験に注力するなら、確実にフォローしておきたい。

翠嵐（歌舞伎町ホスト）／公立進学校 bot @ superschoolbot
X フォロワー 2.6 万人のうち多くが難関高校・大学進学者や出身者。フォロワーに呼びかけて名門高校の校内テスト情報や模試・共通テスト結果を定期的に収集している。本書でも紹介した公立高校ランキングや、各校のウンチク紹介など、学歴ネタが多め。アカウント名の通り現在の職業は歌舞伎町ホストで、一般的なホスト客層のみならず学歴オタクや難関高校・大学出身者、受験関係者、受験生を子に持つ親などからも評価されている。

Kazuki Fujisawa 藤沢数希 @kazu_fujisawa
Ph.D. 物理学研究者。外資系投資銀行でクオンツ・トレーダーを経て、香港で資産運用業を営む。なぜか受験・学歴への造詣が深く、自身のメルマガでも学歴ネタを精力的に発信している。「中学受験はダービースタリオン（馬を育成するゲーム）だ」「SAPIX に通う子の中央値は MARCH」など数々の名言を残している。著書には『コスパで考える学歴攻略法』（新潮社）などがある。

主な参考文献・資料一覧（順不同）

- 受験と教育の情報サイト「Inter-edu」（https://www.inter-edu.com/）
- 「進学校データ名鑑」（https://shindeme.com/univ/u0021/）
- 文部科学省『子供の学習費調査』（https://www.mext.go.jp/b_menu/toukei/chousa03/gakushuuhi/1268091.htm）
- ダイヤモンドオンライン『中学受験の大手4大塾の年間費用（料金）を比較！どの塾に通うのがお得なの？』（https://diamond.jp/educate/articles/juku-hiyou/73/）
- All About マネー『中学受験、小5から2年間の塾代でかかった「半端ないお金」』（https://allabout.co.jp/gm/gc/492356/）
- 東京英才学院吉祥寺教育センター『個別指導塾の料金相場は』（https://www.tokyo-eisai.com/column/210802/）
- 塾選『中学受験にかかる塾費用は？トータル料金や私立学費について徹底解説！』（https://bestjuku.com/article/3773/）
- ダイヤモンドオンライン『中学受験の費用は総額いくら？私立受験なら250万円！課金ゲームの内訳は？』（https://diamond.jp/educate/articles/juku-hiyou/71/）
- 市進　中学受験情報ナビ『2023年度（令和5年度）首都圏 国立・私立・公立一貫 学費一覧』（https://www.chu-jukennavi.net/cnavi04.html）
- 楽天スーパーポイントギャラリー『中学校の学費は月々いくら？公立・私立それぞれご紹介』（https://point-g.rakuten.co.jp/educare/articles/2020/schools_jhs_fee/）
- Study wars『中学生が学習塾に通う人の割合とは？文部科学省のデータから徹底解説！』（https://study-wars.com/?p=202）
- 藤沢数希『コスパで考える学歴攻略法』（新潮新書、2022年）

おわりに

中学受験に関する情報本を出した直後に高校受験のメリットを説く本を出版するなんて、正気の沙汰ではないのでは……と思っていたのですが、難なくＯＫが出てしまうところに実業之日本社さんの懐の深さを感じている次第です。

特に首都圏において、中学受験でいくか高校受験でいくか迷っているご家庭は多いはずです。

正直決めかねているという方はどちらの本もお手に取っていただき、それぞれのメリデメを比較検討していただけたらと思います。

私は高校受験経験者です（というか私の地元の愛知県三河地区には中学受験という選択肢がないというだけなのですが……）。

8年前に田舎から東京の大学に進学して、首都圏の中学受験戦線を目の当たりにして衝撃を受けたのを覚えています。愛知の田舎で僕らが虫取りや鬼ごっこに明け暮れていた頃、彼らは親子二人三脚で熾烈な受験戦争を経験していたのです。

やはり中学受験組は東大や旧帝大医学部への進学率が高く、私の出身大学にも余裕を持って入ってきている人が多かったように思います。そんな中高一貫組のことを羨ましいと思った時期もありましたが、よくよく振り返ってみると高校受験のメリットだって少なくないことに気づきました。

高校受験ルートでの東大・国立医学部合格者へのインタビューで、彼らから受験エピソードを聞いていくうちに、中学受験を経験せずに高学歴になった方々特有の共通点も見えてきて、色々と参考になりました。

こちらの共通項から、「高校受験主義」ルートでの成功の鍵が見えてくる気がします。

本書では、自身の実体験や収集した膨大なデータ、インタビューなどを通して高校受験について最大限語れたかなと思っています（マニアの方、もし追加で入れておくべき情報などありましたらＤＭください）。

最後に、企画を一緒に考えてくれたえらてんさん、白戸さん、執筆・取材の協力をしてくれた土屋さん、インタビューに回答して下さった高校受験ルートでの高学歴者の皆さん、この場を借りて感謝申し上げます。本当にありがとうございました。

さて、受験の研究に戻らないと……。

じゅそうけん

じゅそうけん　受験総合研究所

受験総合研究所、略して「じゅそうけん」の名前で活動する学歴研究家。本名は伊藤滉一郎。じゅそうけん合同会社代表。「じゅそうけんオンライン塾」を運営する傍ら、X（旧 Twitter）をはじめとする SNS コンサルティングサービスも展開する。早稲田大学を卒業後、大手金融機関に就職。その後、人生をかけて学歴と向き合うことを決意し退職。高学歴 1000 人以上への受験に関するインタビューや独自のリサーチで得た情報を、X（旧 Twitter）や YouTube、Web メディアなどで発信している。著書に『中学受験 子どもの人生を本気で考えた受験校選び戦略』（KADOKAWA）がある。

X（旧Twitter）：@ jyusouken_jp

中学受験《ちゅうがくじゅけん》はやめなさい 高校受験《こうこうじゅけん》のすすめ

2024年4月19日 初版第1刷発行

著　　者　じゅそうけん
発 行 者　岩野裕一

発 行 所　株式会社実業之日本社
〒107-0062
東京都港区南青山6-6-22　emergence 2
電話（編集）03-6809-0473
（販売）03-6809-0495
https://www.j-n.co.jp/
印刷・製本　図書印刷株式会社

ブックデザイン　山之口正和＋齋藤友貴（OKIKATA）
カバーイラスト　くにともゆかり
本文DTP　株式会社千秋社
校　　正　株式会社ヴェリタ
プロデュース　矢内東紀
編集協力　土屋雄太
編　　集　白戸翔（ニューコンテクスト）

ISBN978-4-408-65080-7（第二書籍）